2021 개정판

심폐소생술
일반인 강사 교재

cardiopulmonary resuscitation

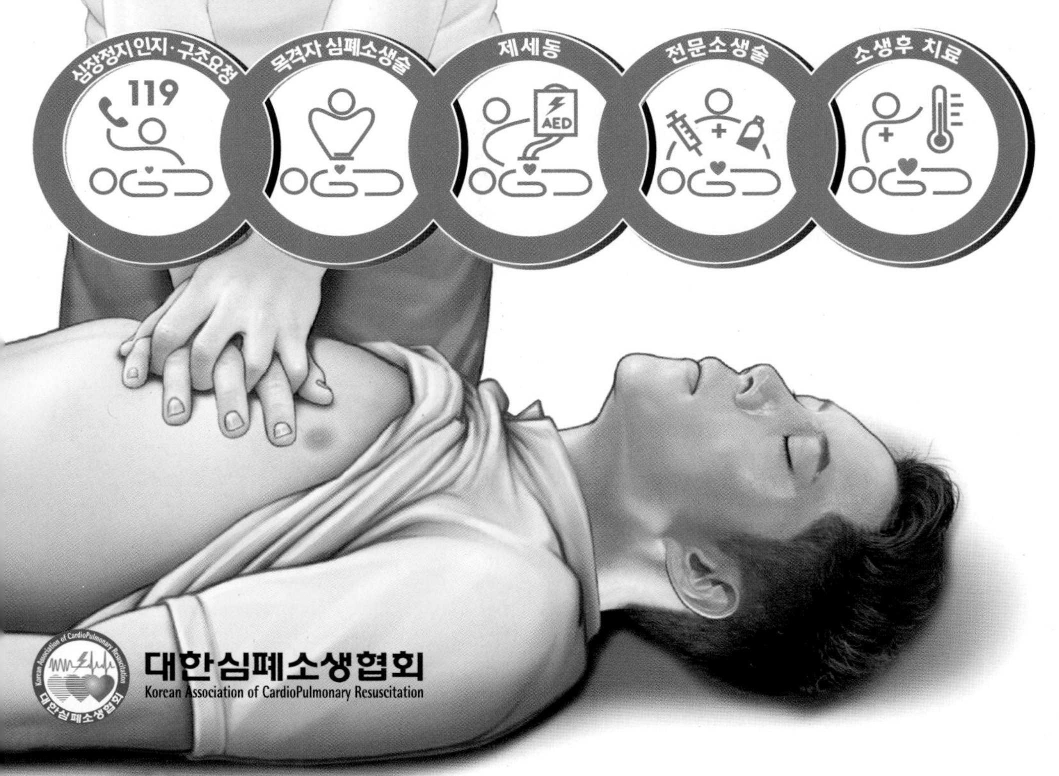

대한심폐소생협회
Korean Association of CardioPulmonary Resuscitation

심폐소생술 일반인 강사 교재

첫째판 1쇄 인쇄 | 2010년 6월 10일
첫째판 1쇄 발행 | 2010년 6월 15일
넷째판 1쇄 인쇄 | 2021년 12월 08일
넷째판 1쇄 발행 | 2021년 12월 17일

지 은 이 대한심폐소생협회
발 행 인 장주연
출 판 기 획 최준호
책 임 편 획 이현아
편집디자인 주은미
표지디자인 김재욱
일 러 스 트 일러스트부
발 행 처 군자출판사
등록 제 4-139호(1991. 6. 24)
본사 (10881) **파주출판단지** 경기도 파주시 회동길 338(서패동 474-1)
전화 (031) 943-1888 팩스 (031) 955-9545
홈페이지 | www.koonja.co.kr

ISBN 979-11-5955-801-6

정가 15,000원

cardiopulmonary resuscitation

집필진(넷째판)

대표저자 | **대한심폐소생협회**

집필진 | **조규종** 대한심폐소생협회 BLS 위원장/한림의대 강동성심병원 응급의학과

이창희 대한심폐소생협회 BLS 일반인 분과장/남서울대학교 응급구조학과

김미연 대한심폐소생협회 BLS 일반인 분과 위원/원광대학교병원 응급의료센터

김수연 대한심폐소생협회 BLS 일반인 분과 위원/강동대학교 의무부사관과

김수일 대한심폐소생협회 BLS 일반인 분과 위원/선린대학교 응급구조과

김진철 대한심폐소생협회 BLS 일반인 분과 위원/을지대학교 대전병원 응급의료센터

우선희 대한심폐소생협회 BLS 일반인 분과 위원/가톨릭의대 인천성모병원 응급의학과

이태헌 대한심폐소생협회 BLS 일반인 분과 위원/한림대학교 춘천성심병원 응급의학과

지현경 대한심폐소생협회 BLS 일반인 분과 위원/백석대학교 응급구조학과

최성수 대한심폐소생협회 BLS 일반인 분과 위원/호원대학교 응급구조학과

cardiopulmonary resuscitation

집필진(첫째판)

대표저자 | 대한심폐소생협회

집필진 | 송근정 대한심폐소생협회 BLS 위원장/성균관의대 삼성서울병원 응급의학과

이창희 대한심폐소생협회 BLS 의료인 분과장/남서울대학교 응급구조학과

조규종 대한심폐소생협회 BLS 학술 분과장/한림의대 강동성심병원 응급의학과

김동원 대한심폐소생협회 BLS 위원/한림의대 춘천성심병원 응급의학과

김수연 대한심폐소생협회 BLS 위원/강동대학교 간호학과

김재범 대한심폐소생협회 BLS 위원/계명의대 동산병원 흉부외과

김진우 대한심폐소생협회 BLS 위원/대전보건대학교 응급구조학과

김현정 대한심폐소생협회 BLS 위원/대원대학교 간호학과

박상욱 대한심폐소생협회 BLS 위원/전남대학교병원 권역응급의료센터

박선영 대한심폐소생협회 BLS 위원/백석대학교 간호학과

박창제 대한심폐소생협회 BLS 위원/서울특별시 보라매병원 응급의료센터

장용수 대한심폐소생협회 BLS 위원/한림의대 강남성심병원 응급의학과

조영석 대한심폐소생협회 BLS 위원/한림의대 강동성심병원 응급의학과

인사말

대한심폐소생협회는 우리나라의 급성 심장정지 환자의 생존율을 높이고, 심폐소생술 지침과 교육과정을 표준화하고, 심폐소생술을 홍보하고 보급하기 위하여 2002년에 설립되었습니다. 2005년부터는 미국심장협회(AHA: American Heart Association)의 국제적인 교육기관(International Training Center)으로서 AHA 지침에 따른 교육과정을 시작하였습니다. 2006년부터 매 5년마다 한국 심폐소생술 지침을 개발하였고, 개정된 내용을 심폐소생술 교육에 반영하였습니다.

심폐소생술에 대한 관심이 높아지면서 의료제공자뿐 아니라 일반인도 심폐소생술을 배우게 되면서, 대한심폐소생협회는 일반인에게 심폐소생술을 가르칠 수 있는 일반인 강사과정을 2010년부터 시작하였고 2021년 현재 전국적으로 1,400명이 넘는 일반인 강사가 활동하고 있습니다. 대한심폐소생협회의 일반인 심폐소생술 강사과정은 심폐소생술 지침에 충실하고 가장 고품질의 표준화된 강사를 배출하기 위한 교육과정으로 운영되고 있습니다.

2020년에 한국 심폐소생술 지침이 변경됨에 따라 새로운 지침을 적용한 과정이 필요하게 되었고 이에 강사교재를 변경된 지침에 맞도록 개정하게 되었습니다. 또한 최근의 심폐소생술의 흐름에 따라 교육동영상을 개정하였고, 이에 따라 강사 지침도 개정하였습니다.

이 개정된 강사교재를 통하여, 최신 지침에 맞는 심폐소생술 교육을 할 수 있을 뿐 아니라 더 많은 일반인들이 고품질의 심폐소생술을 시행할 수 있도록 교육하는 가장 표준화된 강사가 되기를 기대합니다. 또한 교재 개정 개발 과정에 최선을 다해주신 대한심폐소생협회의 BLS 위원들께 감사를 드립니다.

대한심폐소생협회 BLS 위원장 **조 규 종**

cardiopulmonary resuscitation

목차

cardiopulmonary resuscitation

Chapter 01

2020 심폐소생술 지침의 특징

1 심장정지 생존환경 구축의 필요성 제기

2020 심폐소생술 가이드라인은 심장정지가 발생하지 않도록 미리 예방하고, 심장정지가 발생한 환자의 생존율을 증가시키며 심장정지 후 환자의 회복

그림 1. **병원밖 심장정지 생존 환경 및 생존사슬**

을 촉진시켜 일상생활로 복귀시키기 위해서는 의료시스템뿐만 아니라 행정기관, 교육체계, 의료종사자, 교사, 학생, 일반인 모두의 참여가 필요함을 강조하였다. 병원밖 심장정지 생존환경의 중요한 요소는 심장정지 예방, 심폐소생술 교육, 심장정지 치료 체계 구축, 평가 및 질 관리이다(그림 1).

2 병원밖 심장정지와 병원내 심장정지 생존사슬 구분

병원밖 심장정지 생존사슬은 심장정지 인지 및 구조요청-목격자 심폐소생술-신속한 심장충격(제세동)-전문소생술- 소생후 치료로 구성된다. 병원밖 심장정지 사슬은 병원내 심장정지 생존사슬과 비교했을 때, 첫번째와 두번째 단계인 환자를 발견한 목격자가 심장정지 발생을 인지하고 신속하게 구조를 요청하는 것과 심장정지 환자에게 목격자가 가능한 한 빨리 심폐소생술을 하는 것이 중요함을 강조하였다(그림 2).

병원밖 심장정지 환자의 생존사슬

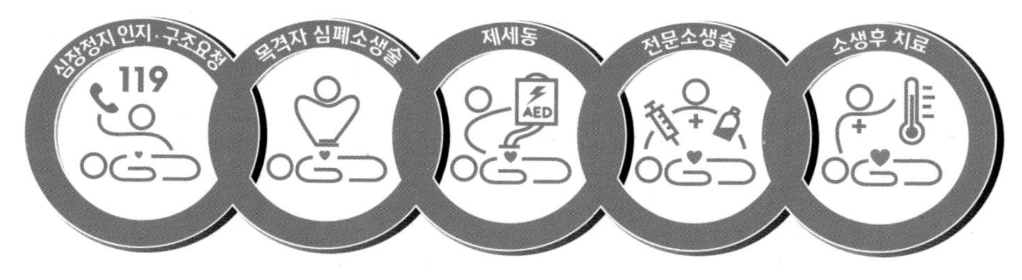

병원내 심장정지 환자의 생존사슬

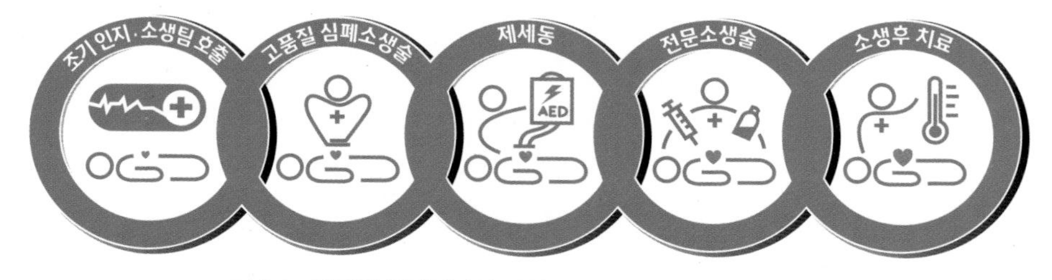

그림 2. **병원밖 심장정지와 병원내 심장정지 환자의 생존사슬**

3 119구급상황(상담)요원 역할의 강화

구급상황(상담)요원은 목격자와 응급의료체계를 연결함으로써 심장정지 환자의 생존을 위한 전문 치료가 빨리 시작되도록 돕는 역할을 한다. 구급상황(상담)요원은 전화도움 심폐소생술 시스템을 통해 신고자가 현장에서 심폐소생술을 하도록 지도한다.

4 기본심폐소생술 방법

기본심폐소생술 방법은 2015년 지침과 같다. 즉 가슴압박 위치는 가슴뼈(복장뼈) 아래쪽 1/2 부위, 성인 기준 가슴압박 깊이는 약 5 cm, 속도는 분당 100-120회, 압박 대 이완은 1:1유지, 압박 대 인공호흡 비율 30:2 이다(그림 3). 심장정지가 의심되는 환자를 단단하고 편평한 바닥에 등이 닿게 눕히고 가슴압박을 하면 더 효과적이다. 하지만 심장정지 환자가 침대에 누워 있다면 환자를 바닥으로 일부러 옮길 필요는 없다.

5 감염병 의심환자 심폐소생술

감염병 유행 상황시에는 심폐소생술을 시작할 때 현장이 안전한지 확인하면서 감염 차단을 위해 보건용 마스크(가능한 KF 94)를 착용한다. 환자의 반응과 호흡을 확인하기 위해 구조자의 얼굴을 환자의 얼굴에 가까이 가져가지 않도록 한다. 가슴압박을 시작해야 한다면, 환자의 호흡기로부터 배출될 수 있는 분비물을 차단하기 위해 환자의 코와 입을 마스크 또는 천이나 수건 등으로 덮을 것을 권장한다(그림 4).

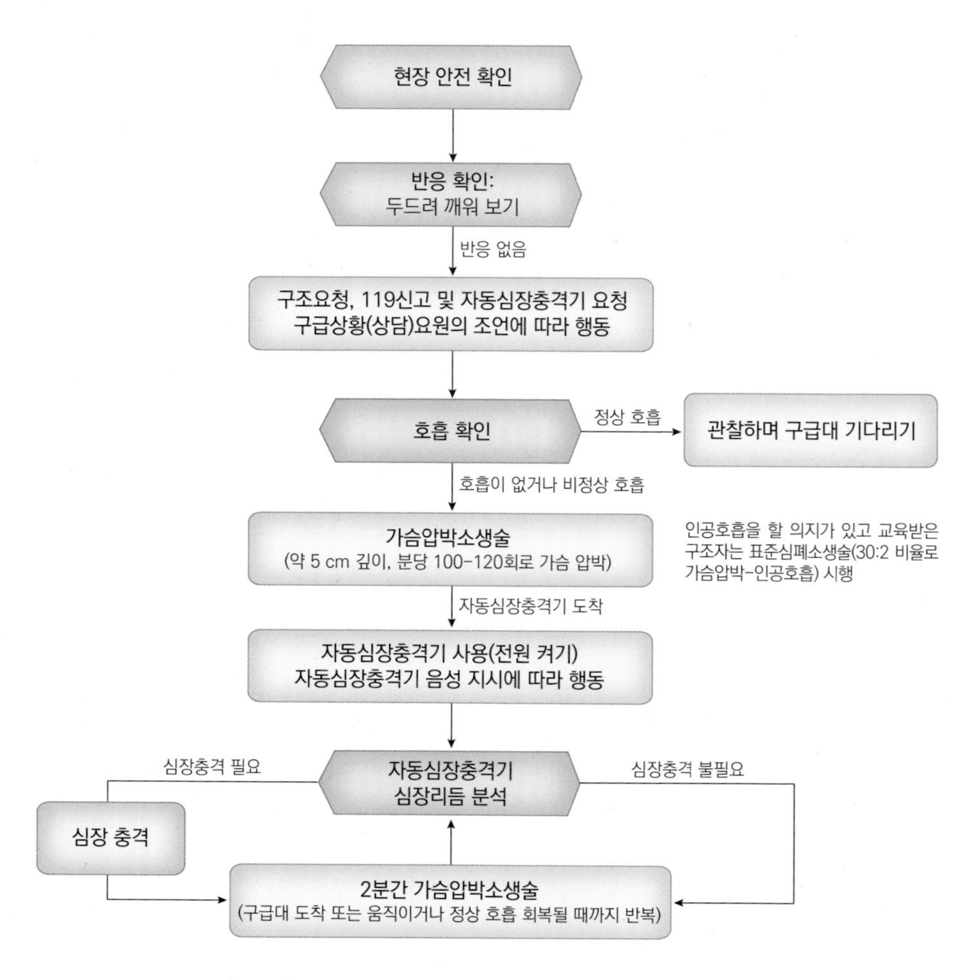

그림 3. 일반인 구조자에 의한 병원밖 심장정지 기본소생술 흐름도

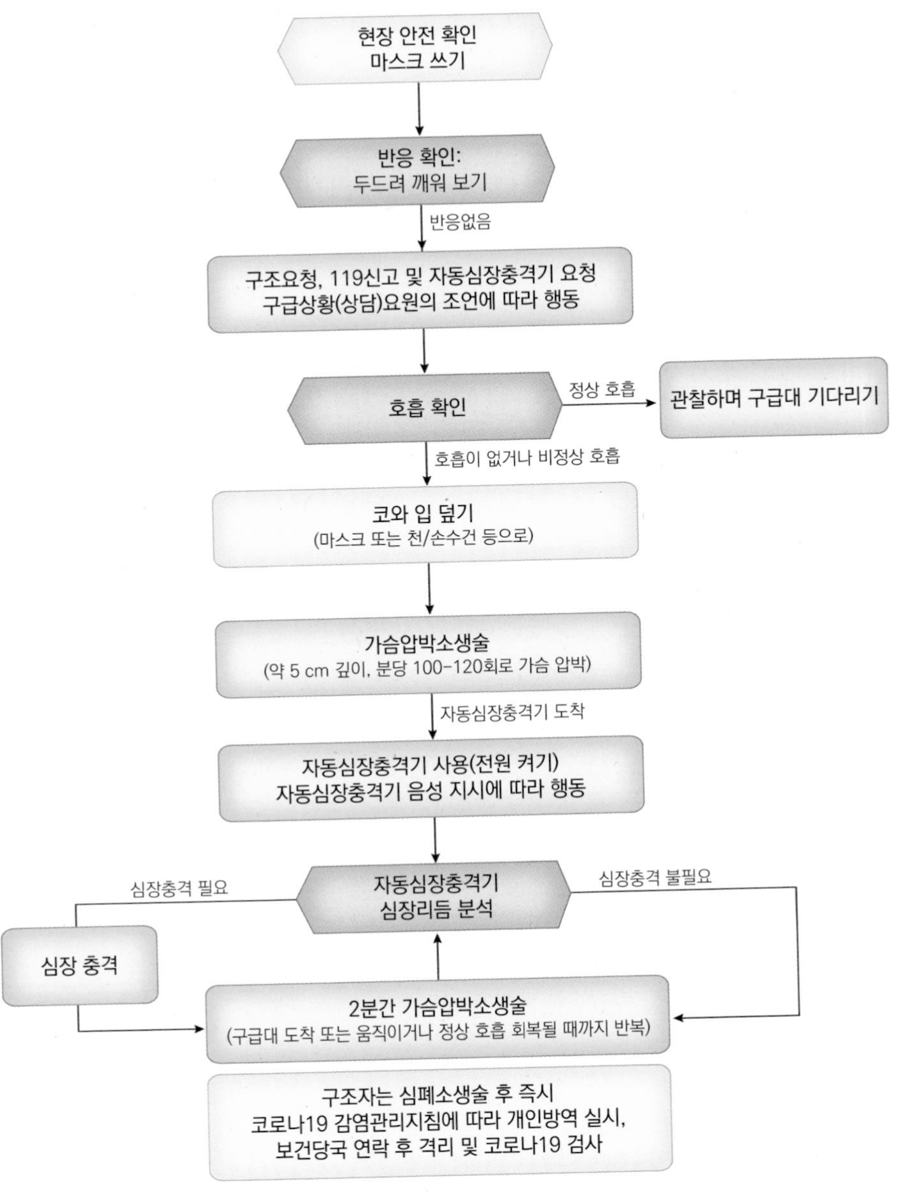

그림 4. **감염병 의심환자 기본소생술 흐름도**

6 기도폐쇄 환자의 처치

이물질에 의한 기도폐쇄가 발생한 환자가 기침을 효과적으로 하지 못하면 등 두드리기를 우선 시행하도록 하고 등 두드리기가 효과적이지 않으면 복부 밀어내기를 하도록 한다. 2015년 지침에서는 이물질에 의한 완전 기도폐쇄가 의심되는 경우 복부밀어내기를 하도록 권장하였으나, 복부 밀어내기가 등 두드리기보다 이물 제거에 효과적이라는 증거가 부족하며, 반복적인 복부 밀어내기는 내장 손상 발생의 위험성에 대한 우려가 있다.

c a r d i o p u l m o n a r y   r e s u s c i t a t i o n

Chapter 02

심폐소생술의 과학적 배경

심폐소생술의 발달은 오래되지 않았다. 1950-60년대에 걸쳐서 심폐소생술의 기본적 개념들이 알려졌고, 가슴을 누르고 호흡을 불어넣고 심장충격을 위한 전기충격을 가하는 일련의 행위들이 하나의 지침(Guideline)으로 제정된 것은 1966년에 와서야 비로소 이루어졌다. 그 이전의 오랜 기간 동안 심장이 멎은 환자들은 그 시점이 바로 사망의 순간으로 받아들여졌으며, 몽둥이로 강하게 머리를 내려치거나, 항문에 관을 꽂고 원기를 불어넣거나 하는 비과학적인 소생술 술기들이 시행되었다. 이렇게 심폐소생술이 발전하기 시작한 것은 겨우 60년이라는 역사에 불과하므로, 우리가 시행하는 심폐소생술의 많은 술기들이 실제로 환자한테 도움이 되는지 분명하지 않은 것들도 있을 수 있다. 이러한 불확실성을 해소하기 위하여 전 세계의 많은 연구자들이 지속적인 연구 노력을 기울이고 있다.

1966년에 심폐소생술 지침이 처음으로 발표된 이후, 수년마다 새로운 지침으로 개정되고 있다. 2000년에는 세계 공용 심폐소생술 지침이 발표되었고, 국제소생술교류위원회(ILCOR) 단체를 구성하여 이후 5년마다 개정 지침이 발표되었다. 우리나라에서는 보건복지부, 질병관리본부(현 질병관리청)와 대한심폐소생협회에서 "2006 한국 심폐소생술 지침" 개발을 시작으로, 국제소생술교류위원회의 개정 지침에 발맞추어 2020년 한국심폐소생술 지침을 개정하였다. 개정된 지침은 대한심폐소생협회 홈페이지 자료실에서 확인할 수 있다.

강사 과정 동안에 심폐소생술의 각 술기들이 어떠한 과학적 근거를 가지고 있는지를 이해하는 것은, 실제로 여러분들이 교육을 담당할 때 교육생들에게 심폐소생술의 특정 술기가 왜 그리고 어떤 방식으로 시행되어야 하는지를 설명할 수 있게 하며 심폐소생술의 여러 단계들 중에서 어떤 부분을 더욱 강조해야 하는지를 판단할 수 있게 도움을 준다. 다음의 교육 목표들을 충분히 이해하고, 강사로서 교육하는 교육생들에게 이해하기 쉽게 설명할 수 있어야 한다.

교육 목표

1. 병원밖 심장정지 생존환경 및 생존사슬의 의미를 알고 설명할 수 있다.
2. 신속한 심장정지 확인 및 신고의 중요성을 알고 설명할 수 있다.
3. 고품질 심폐소생술의 중요성을 알고 설명할 수 있다.
   - 강하고 빠른 가슴압박의 중요성을 알고 시행할 수 있다.
   - 완전한 가슴이완의 중요성을 알고 시행할 수 있다.
   - 가슴압박의 중단을 최소화해야 하는 이유를 알고 설명할 수 있다.
   - 과도한 인공호흡의 유해성을 알고 설명할 수 있다.
   - 가슴압박: 인공호흡의 비율이 30:2인 이유를 알고 설명할 수 있다.
4. '가슴압박 소생술'의 적용과 부적절한 상황을 알고 설명할 수 있다.
5. 감염병 의심환자에게 심폐소생술을 어떻게 적용해야 할지 알고 설명할 수 있다.
6. 심장충격의 원리를 알고 설명할 수 있다.
7. 자동심장충격기의 효과적인 사용법을 알고 시행할 수 있다.

❶ 병원밖 심장정지 생존환경 및 생존사슬

심장정지 환자의 생존을 촉진하기 위해서는 생존환경을 조성하는 것이 필요하다. 심장정지 생존 환경 구축에는 환자의 직접 치료에 관계된 의료시스템(응급의료시스템 포함)뿐 아니라 정부 및 지방자치단체, 교육체계, 의료종사자, 교사, 학생, 일반인이 모두 참여해야 한다. 또한, 심장정지 치료 체계와 더불어 심장정지의 예방, 심장정지 생존자에 대한 재활 및 사회 복귀를 위한 국가 및 지역사회 체계가 수립되어 실행되어야 한다. 특히, 심장정지 치료 체계 중 일반인에 의한 자동심장충격기 사용, 구급상황(상담)요원 역할의 강화, 정보통신기술의 활용, 심장정지 치료센터의 기준 마련 및 이송을 강화하도록 권장되었다.

2020년 심장정지 생존사슬은 병원밖과 병원내로 구분하였다. 병원밖 심장정지 생존사슬은 심장정지의 인지 및 구조 요청(응급의료체계 활성화)-목격자 심폐소생술-제세동-전문소생술-소생후 치료(재활 치료 포함)가 연결되는 것이다. 2015년 생존사슬과 비교했을 때 심장정지의 인지 및 구조요청과 목격자 심폐소생술의 중요성이 더욱 강조되었다(그림 5).

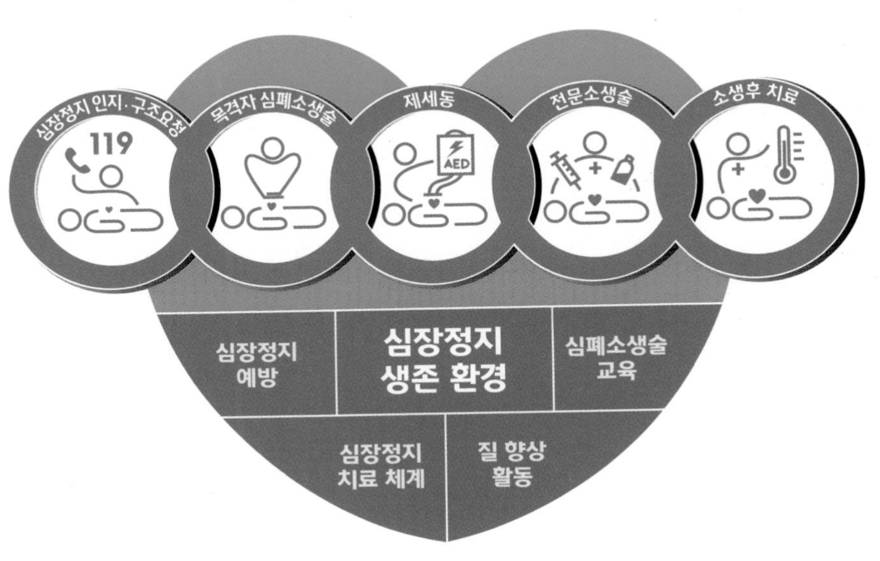

그림 5. **병원밖 심장정지 생존 환경과 생존사슬**

2 심장정지 인지와 구조 요청

환자에게 접근하기 전에 구조자는 현장 상황이 안전한지, 감염의 가능성은 없는지를 먼저 확인한다. 현장이 안전하다고 판단되면 환자에게 다가가 어깨를 가볍게 두드리며 "괜찮으세요?"라고 물어보면서 반응을 확인한다. 심장정지의 통상적인 임상 증상은 의식 소실, 무호흡, 무맥박이지만 심장정지가 발생한 직후 심장정지 호흡(agonal gasp)이나 경련이 발생할 수 있다. 목격자가 심장정지 발생상황을 신속히 인지하여 구조 요청을 하면 심장정지 치료가 빨리 시작됨으로써 환자의 심장정지 생존율이 향상될 수 있다.

일반적으로 심장정지가 발생하면, 그 환자는 거의 즉시(5-10초 안에) 의식을 잃고 외부 자극에 반응하지 못하는 상태로 되며, 곧이어 자발적인 호흡과 신체 움직임도 완전히 소실된다. 그러나 일부 환자들은 심장정지 직후에 비정상적인 호흡(심장정지 호흡: agonal gasps)을 일시적으로(길어도 30-60초 정도만) 하거나 신체 근육의 경련 발작을 아주 짧게(길어도 10초 정도) 할 수도 있다.

갑자기 사람이 쓰러지는 것을 목격한 일반 시민들은 극도로 당황하게 되기 때문에, 그 사람이 심장정지 상태인지 신속히 확인하여 신고하기보다는 우왕좌왕 망설이거나 목적 없는 행동을 하면서 상당한 시간을 보내게 된다. 또한 일부 시민들은 환자가 헐떡이는 양상의 심장정지 호흡을 하고 있거나 처음 경련 발작을 보였다는 이유로 심장정지 상태가 아닌 것으로 오해하여 심폐소생술을 시행하지 않기도 한다. 심장정지가 의심되는 환자를 보면 바로 그 심각성을 인지하고 신고하여 다음 단계의 신속한 치료들로 연결될 수 있게 해야 한다. 이는 고품질의 심폐소생술이나 효과적인 전문소생술보다 더 중요할 수 있으며 그 이후의 치료들이 효과를 나타내기 위해서 반드시 필요하다. 심장정지가 의심되는 환자의 상태는 다음과 같다.

① 자극에 반응이 없고 호흡과 신체 움직임이 전혀 없는 사람
② 자극에 반응이 없으면서 비정상적인 호흡운동(심장정지 호흡: agonal gasps)만 있는 사람
③ 자극에 반응이 없고 짧은 시간(길어도 10초 정도) 동안 지속되는 경련이 있는 사람

그리고 청색증, 가슴통증, 호흡곤란, 및 갑작스러운 무력증 등 심장정지 환자들이 심장정지가 발생하기 전에 흔히 나타내는 증상들도 먼저 정확히 인지하여 미리 대처할 수 있도록 교육을 해야 한다. 심장정지가 의심되는 환자를 발견하면 가장 먼저 119에 전화하여 그 사실을 알리고 자동심장충격기를 요청해야 한다. 그 이유는 다음과 같다:

① 구급상황(상담)요원의 조언에 따라 목격자가 심장정지를 인지하고, 신속히 심폐소생술을 하도록 도와줄 수 있다.
② 성인의 심장정지의 가장 흔한 원인인 심실세동과 같은 부정맥을 치료하기 위해서는 자동심장충격기가 필요하다. 주변에 자동심장충격기 설치 유무를 모르거나 설치되지 않았다면 119 구급대를 불러야 자동심장충격기를 사용할 수 있다.
③ 1인 구조자보다는 2인 이상 구조자의 심폐소생술이 더 효과적이다.
④ 119 구급대원은 전문 구조자로서 경험이 많아 심폐소생술과 응급처치를 더 잘할 수 있다.
⑤ 자발순환이 회복된 환자는 신속히 의료기관으로 옮겨야 한다.

심장 원인에 의한 심장정지의 경우에 주변에 도와줄 사람이 없는 상황이라면, 심폐소생술을 즉시 시작하는 것보다 119 신고를 먼저 하는 것이 더 우선되어야 한다. 왜냐하면 혼자서 심폐소생술을 계속해도 자동심장충격기를 사용하지 않고서는 자발순환이 회복될 확률이 극히 낮고 체력적으로 지쳐서 10분 이상 지속하기 힘들기 때문이다.

3 고품질 심폐소생술의 중요성

병원밖에서 심장정지 환자를 발견하면, 목격자는 현장 안전 평가 후, 환자의 반응을 확인하고, 구조 요청 후 즉시 심폐소생술을 시작해야 한다. 목격자에 의한 심폐소생술이 시행된 경우에는 시행되지 않은 경우보다 심장정지 환자의 생존율이 약 4배까지 높아진다.

심폐소생술을 시행할 때, 가장 중요한 결정적 요소는 "고품질의 심폐소생술"을 시행하는 것이다. '심폐소생술을 시행했다'는 것만으로는 환자의 소생을 위한 충분한 처치를 시행해 주었다고 말하기가 어렵다는 연구 결과들이 나와 있다. 그 연구들을 살펴보면 미국의 응급구조사들이 시행하는 심폐소생술의 품질을 평가한 결과, 심폐소생술 시행하는 동안 실제로 가슴압박을 중단하고 있는 시간이 48%나 되고, 가슴압박을 시행하는 평균 속도는 64회/분에 불과하며, 가슴압박을 시행하는 평균 깊이는 3.4 cm밖에 되지 않았다. 당연히 가슴압박의 중단 시간이 길수록, 평균 속도가 느릴수록, 그리고 평균 깊이가 얕을수록 생존율이 현저히 낮았다.

즉 심장정지 환자에게 중요한 것은 '깊고 빠르고 중단 없는' 고품질의 심폐소생술을 시행하는 것이다. 심폐소생술을 교육하는 모든 강사는 자신이 가르치고 있는 교육생들에게 '고품질의 심폐소생술'을 익힐 수 있게 하고, 또한 다음의 '고품질의 심폐소생술'의 요소들이 왜 중요한지를 이해할 수 있도록 교육한다.

1) 강하고 빠른 가슴압박의 중요성

심폐소생술에서 반응 확인부터 심장충격 시행에 이르는 여러 단계들이 있지만, 모든 단계들이 중요하다. 그러나 그 단계들 중에서 가장 중요한 단계를 하나 꼽으라면 '가슴압박'이다. 심폐소생술의 궁극적인 목적은 구조자의 힘을 사용하여 가슴압박으로 심장을 눌러 산소를 함유한 혈액을 전신 조직(특히,

뇌와 심장)으로 순환시키고, 인공호흡으로 혈액 속으로 산소를 불어넣음으로써, 산소 결핍으로 인한 뇌세포 손상의 진행을 최소화하고 심장 근육세포의 산소 결핍 상태를 호전시켜 다시 심장이 자발적으로 박동하게 만들 수 있는 환경을 조성하는 것이다. 좋은 환경이 조성된 후에 심장충격을 시도해야 성공적인 심장충격이 될 수 있다. 그런데 '가슴압박이 혈액 순환을 유발하는 효율'은 정상인과 같은 상태인 '심장이 스스로 박동할 때의 효율'에 비해서 매우 낮아서 약 30%에 불과하다. 더구나 가슴압박을 약하게 하거나 느리게 하거나, 또는 자주 중단하거나 길게 중단한다면 이 효율은 10% 이하로 떨어지게 되고, 결과적으로 환자의 소생은 불가능해진다.

인공호흡이 제외된 '가슴압박소생술(compression-only CPR, hands-only CPR)'이 인공호흡이 포함된 심폐소생술과 비슷한 효과를 낸다는 주장들도 가슴압박의 품질에 대한 중요성을 말해주는 증거로 이해될 수 있다.

'고품질의 심폐소생술'의 핵심 요소인 '고품질의 가슴압박'의 기준은 다음과 같다:

① 깊이: 성인에게는 약 5 cm 깊이(소아는 4-5 cm 또는 최소한 가슴 두께의 ⅓ 이상)

② 속도: 100-120회/분 유지. 단, 120회/분 이상으로 빠르게 누르는 것은 혈액 순환 증가 효과는 미미하면서 구조자의 피로감만 현저히 증가시키므로 권장하지 않음

③ 위치(그림 6): 성인은 가슴뼈의 아래쪽 ½
소아는 가슴뼈의 아래쪽 ½
영아는 젖꼭지 연결선 바로 아래의 가슴뼈

④ 완전 이완: 매 회의 깊은 압박 후 손바닥의 압력을 완전히 이완하여야 한다. 이완하지 않고 환자의 가슴을 약하게라도 계속 누르고 있으면 혈액 순환 유발 효과가 현저히 감소하게 된다.

⑤ 가슴압박 중단의 최소화: 1인 구조자 심폐소생술에서 인공호흡을 할 때 10초 이내(가능하면 더 짧게)로 가슴압박을 중단하며, 자동심장충

격기를 사용할 때도 리듬 분석 확인과 심장충격 버튼을 누를 때를 제외하고는 가슴압박을 중단하지 않음.

요약하면, "강하고, 빠르게, 이완은 완전히, 그리고 중단 없이" 가슴압박을 시행해야 한다.

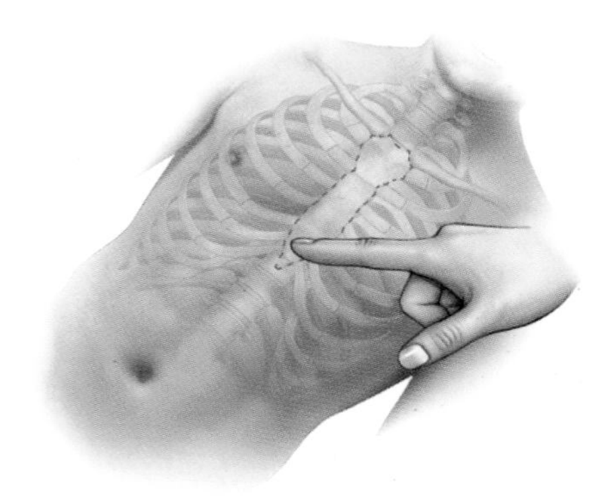

그림 6. **성인과 소아의 가슴압박 위치. 가슴뼈의 아래쪽** 1/2

2) 완전한 가슴이완의 중요성

가슴압박의 원리를 살펴보면, 압박할 때 심장 안에 들어 있는 혈액을 심장 밖으로 밀어내어 혈액 순환을 유발하게 되고, 이완할 때 심장 밖에 있던 혈액을 심장 안으로 빨아들이게 된다. 압박 단계에서 더 깊이 압박하여 심장 안에 있던 혈액을 더 많이 밀어내는 것이 혈액 순환량을 증가시키는 데 매우 중요하지만, 이완 단계에서 완벽히 이완하여 심장 안에 최대한 혈액을 채우는 것도 못지않게 중요하다. 충분히 채워지지 않은 심장은 그 다음에 깊이 누르더라도 충분히 많은 양의 혈액을 밀어내지 못할 것이다. 심하면 빈 심장을 그냥 쥐어짜는 상황이 될 수 있다.

완전 이완의 중요성에 더하여 적절한 이완 시간도 중요한데, 압박 시간:이완 시간의 비율이 1:1이 되게끔 유지해야 한다. 압박이 더 중요하다고 생각하여 가슴을 길게 눌렀다가 짧게 이완시키고 다시 길게 누르는 구조자를 간혹 볼 수 있는데, 이것은 매우 잘못된 방법이다. 압박은 구조자의 체중과 강한 힘으로 누르는 것이어서 짧은 시간에도 다량의 혈액이 밀려나갈 수 있지만, 이완은 흉강 안의 음압에 의해서 혈액이 빨려 들어오는 것이어서 동일한 용적의 혈액이 이동하는 데 압박보다 더 긴 시간이 필요하다. 따라서 이완을 압박보다 더 짧게 해서는 절대로 안 된다.

3) 가슴압박의 중단을 최소화해야 하는 이유

30분간의 심폐소생술의 전 과정을 분석한 연구를 보면, 전체 심폐소생술 시행 시간에서 가슴압박을 하지 않는 시간이 차지하는 비율이 48%나 된다고 하였다. 가슴압박을 중단하게 만드는 요인들을 살펴보면, 맥박 확인, 부적절한 인공호흡, 익숙하지 못한 자동심장충격기의 사용, 심장충격 후에 머뭇거림 등 가슴압박보다 중요하지 않은 여러 가지 이유들이 있다.

박동이 정지된 심장이 자발적 박동을 회복하도록 만들기 위해서는, 심폐소생술 동안에 심장의 심장동맥관류압을 높게 유지하여 심장 근육세포에 충분한 산소를 공급해야만 한다. 심폐소생술 중에 심장동맥관류압은 가슴압박을 중단하면 급격히 떨어지고, 가슴압박을 시작하면 점차로 증가하기 시작한다. 가슴압박이 자주 중단되거나 오랫동안 중단되면 심장동맥관류압이 높게 유지되지 않으므로 자발순환을 회복할 확률이 현저히 감소될 것이다. 따라서 가슴압박을 중단하지 않도록 하고 불가피하게 중단해야 하는 경우에는 최소한으로 짧은 시간만 중단하도록 최선을 다하는 것이 자발순환의 회복에 매우 중요하다.

그림 7은 동물 실험에서 심장충격을 시도하기 직전 가슴압박을 중단하는 시간과 자발순환 회복률의 관계를 보여주는 그래프이다. 가슴압박 중단 시간이 1초씩 증가할 때마다 심장충격 성공률이 급격히 감소한다는 사실을 보여주고 있다. 자동심장충격기를 사용할 때는 '분석 단계'와 '심장충격 버튼 누름

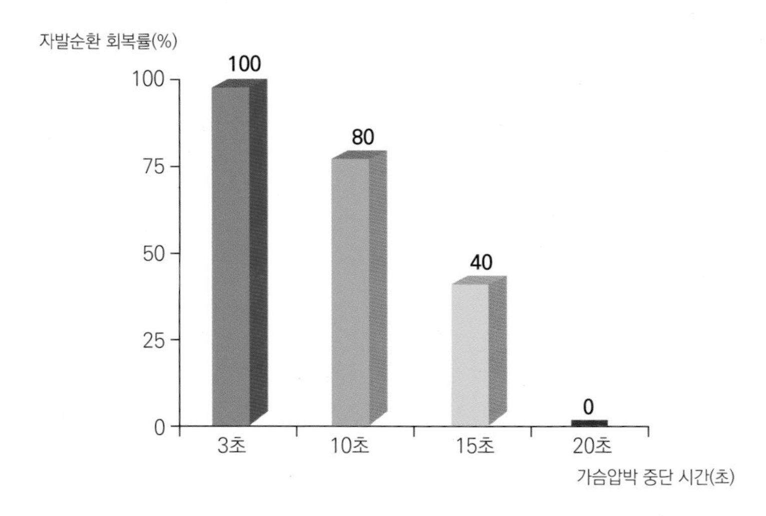

그림 7. 심장충격 시도 직전의 가슴압박 중단 시간과 자발순환회복률의 관계

단계'에서는 불가피하게 가슴압박을 멈추어야 한다. 하지만 심장충격 시도 직전의 가슴압박 중단 시간을 3초 이내로 하기 위해서는, 분석이 끝난 후("심장충격이 필요합니다." 또는 "심장충격이 필요하지 않습니다."라는 음성지시가 나온 직후)부터 '충전 단계'를 거쳐 심장충격 버튼이 반짝이기 직전까지는 가슴압박을 계속하도록 해야 한다.

4) 과도한 인공호흡의 유해성

인공호흡을 시행할 때 적절한 호흡 방법은 다음과 같다:

① 불어 넣는 호흡량: 가슴의 오르내림이 눈으로 관찰될 정도. 성인에서 약 500 mL

② 호흡 속도: 30회의 가슴압박 후 인공호흡 2회를 연속으로 불어넣는데 2번의 흡기 사이에 약 1초 정도의 호기 시간을 주어야 함. 응급의료종사자에 의한 기관삽관이 되어 있거나 후두마스크 기도기(LMA: Laryngeal

Mask Airway)가 삽입된 환자의 경우에는 가슴압박과는 상관없이 6초마다 1회씩 백마스크를 짜주면 됨.

③ 호흡 길이: 1회를 불어넣을 때 약 1초가 소요되도록 하면 적절함. 흡기 시간은 호기 시간과 비슷하게 유지함.

인공호흡을 과도하게 시행한다는 의미는, 위의 방법보다 호흡 용적량을 더 많게 하거나 호흡 횟수를 더 자주하거나, 호흡 속도를 더 빠르게 하거나, 흡기 길이를 더 오래 하는 경우를 말한다. 인공호흡을 과도하게 하면, 흉강 속 압력이 높아지면서 심장 속으로 복귀하는 혈액 용적이 감소하여 심박출량이 줄어들게 된다. 심박출량이 줄어들면 뇌 혈액 순환량이 더 적어지고, 심장동맥관류압도 더 낮아져 심폐소생술의 뇌조직 손상 방지효과와 자발순환 회복 증진효과가 감소된다(그림 8). 과도한 인공호흡은 소생성공률과 소생 품질을 현저히 떨어뜨리는 해로운 행위이다.

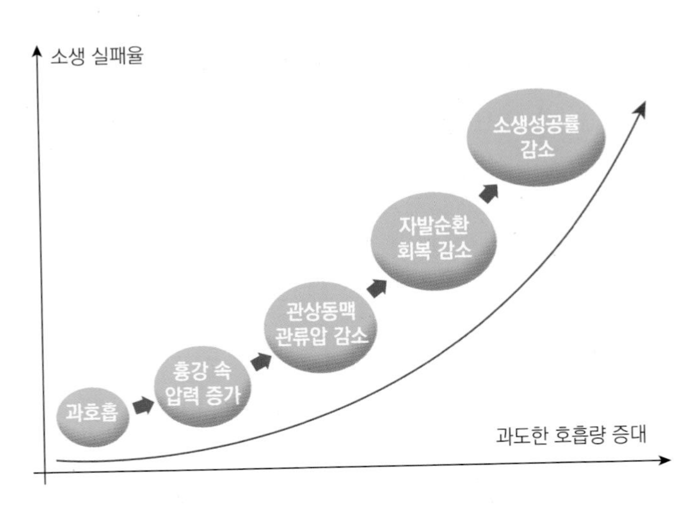

그림 8. 과도한 인공호흡에 의한 유해한 결과

cardiopulmonary resuscitation **CAUTION**

- 인공호흡은 양압호흡이므로 흉강 속 압력을 증가시킨다.
- 흉강 속 압력이 증가하면, 가슴압박의 이완기 때 형성되는 흉강 속 음압을 상쇄시켜 심장 속으로 복귀하는 정맥혈 혈류를 감소시킨다.
- 인공호흡을 통해 고농도 산소를 더 많이 또는 더 자주 불어 넣어 준다고 해서 조직으로 전달되는 산소량이 반드시 증가하는 것은 아니다. 가슴압박에 의한 혈액 순환량이 증가되어야 산소 전달도 증가될 수 있는데, 과다하게 인공호흡을 시행하면 혈액 속의 산소 농도를 높이는 데는 도움이 되지만 흉강 속 압력을 높임으로써 혈액 순환량을 현저히 감소시키게 되므로 조직으로의 산소 전달량은 오히려 감소한다.

❹ '가슴압박소생술'의 적용과 도움이 되지 않는 경우

가슴압박소생술(compression-only CPR, hands-only CPR)은 인공호흡 없이 가슴압박만 시행하는 소생술이다. "인공호흡 없이 가슴압박만을 해도 괜찮은가?"라는 의문을 가질 수 있다. 모르는 심장정지 환자에게 심폐소생술을 시도할 때, 인공호흡을 할 수 없거나 하기 꺼려지는 경우가 있을 수 있다. 예를 들어, 코로나 19 감염이 유행하는 상황에서 감염 문제로 꺼려지거나, 얼굴 및 입 주변의 위생이 지저분하거나, 환자의 구강이 혈액이나 구토물로 오염되어 있거나, 또는 환자의 입과 턱에 손상이 동반되어 있는 경우들이다. 도저히 인공호흡을 시도하기가 꺼려지는 경우 심폐소생술 전체를 시도하지 않을 수 있는데, 그러면 환자는 소생할 가능성이 전혀 없어진다. 이런 상황에서 가슴압박만이라도 시행할 것을 권장하고 있고, 이것을 "가슴압박소생술"이라고 부른다.

심장 질환이 원인인 심장정지 환자는, 갑자기 심장정지가 발생하여 의식을 잃고 호흡이 없어져도 양쪽의 폐 속에는 직전까지 호흡했던 산소를 함유한 공기가 5-6 L 정도 들어있어서 인공호흡 없이 가슴압박만 시행하더라도 처음

5분 정도는 혈액 속의 산소농도가 80-90%로 유지될 수 있다. 그 이후에는 급격히 산소농도가 감소된다. 심폐소생술에 능숙하지 않은 일반인들을 대상으로 하는 여러 연구에서, 심장정지 초기에는 인공호흡 없이 가슴압박만을 시행하는 심폐소생술이 자발순환 회복에 더 도움이 된다고 하였다. 가슴압박을 하는 중간중간에 숙련되지 못하게 인공호흡을 시도하느라 가슴압박 중단 시간이 과도하게 길어지는 것보다는 아예 인공호흡을 하지 않고 계속적으로 가슴압박만 시행하는 것이 오히려 심장의 심장동맥관류압을 높게 유지시켜서 자발순환 회복에 더 도움이 된다는 것이다. 또한 한 연구에서는 가슴압박소생술을 시행 받은 환자들의 신경학적 회복이 더 좋았다고 보고하였다.

가슴압박소생술이 도움이 되지 않는 경우는 다음과 같다:

① 호흡 원인성 심장정지 환자: 익수, 질식, 소아, 외상, 중독

② 심폐소생술이 5분 이상 지속되는 환자

위의 가슴압박소생술이 도움이 되지 않는 환자라 할지라도, 심폐소생술을 전혀 시도하지 않는 것보다는 가슴압박소생술이라도 시행하는 것이 환자의 소생에 유익하다.

Tip 가슴압박소생술의 적용

- 심장정지 환자를 만났는데 인공호흡이 꺼려진다면 가슴압박소생술이라도 시행해야 한다.
- 심폐소생술을 교육받지 않았거나, 받았어도 자신이 없다면 가슴압박소생술을 시행한다.
- 가능하면 언제나 인공호흡이 포함된 표준심폐소생술을 고품질로 시도하는 것이 더 좋다.

5 심장충격의 원리

의식이 있는 상태에서 1-2초 사이에 갑작스럽게 의식을 잃고 쓰러지는 형태의 심장정지 환자들의 대부분은 심장의 부정맥이 그 원인이다. 성인에게 나타나는 이러한 형태의 부정맥은 대부분 심장동맥 질환에 의한 심근 허혈에 의해서 유발되는데, 처음에는 심실빈맥(ventricular tachycardia)이었다가 수 초 이내에 심실세동(ventricular fibrillation) 즉 '잔떨림이 있는 형태'로 변하면서 심장이 펌프로서의 기능을 잃게 되고, 뇌로 가는 혈액 공급이 중단되면서 의식을 잃게 된다.

심실빈맥과 심실세동은 심장정지의 원인 중 가장 높은 빈도를 차지하면서도 또한 빠르고 효과적인 심폐소생술을 시행하면 가장 잘 소생하는 형태의 심장정지이다. 그런데 심실빈맥과 심실세동 환자에게 심폐소생술만 시행해서는 아무리 고품질의 심폐소생술을 시행하더라도 정상적인 심장박동으로 회복시키기 힘들며, 고품질의 심폐소생술과 더불어 신속한 심장충격을 반드시 같이 시행해야만 정상적인 심장박동으로 회복시킬 수 있다.

심장충격이란 200줄(Joule)의 1,000-2,000 볼트 고압 직류전기가 심장을 관통하여 심장에서 일어나고 있는 전기적 활동들을 일시에 제거하는 것을 말한다. 심장충격이 시행되면 심장의 근육세포들은 한동안 '멍~한' 마비상태에 빠지게 되고, 정상적인 전기적 활동이 가장 먼저 깨어나면서 정상적인 심장박동으로 회복된다(그림 9). 비유를 하자면, 컴퓨터가 여러 가지 프로그램들로 서로 엉켜 동작하지 않을 때, 리셋 단추를 눌러 새로이 부팅을 하면 정상적인 프로그램이 가장 먼저 작동하면서 그 기능을 회복하는 것과 비슷하다.

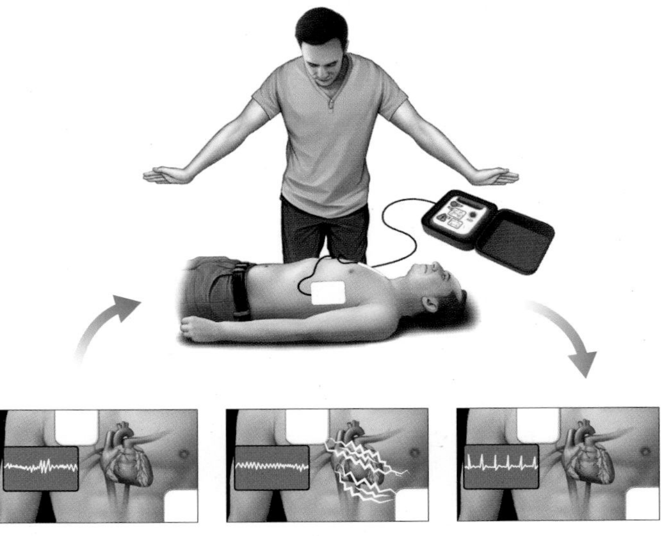

그림 9. **자동심장충격기의 적용**

심실빈맥과 심실세동이 아닌 심전도 리듬(무수축 또는 무맥성전기활동)을 보이는 심장정지 환자에게는 심장충격을 시행해서는 안 된다. 심장충격이 효과가 없는 것이 아니라 오히려 해롭기 때문이다.

cardiopulmonary resuscitation **CAUTION**

- 모든 심장정지 환자에게 무조건 심장충격을 시도하는 것은 아니다.
- 자동심장충격기를 부착하여 분석 후, "심장충격이 필요합니다."라는 음성지시가 나오면 심실세동 또는 심실빈맥이다. 이런 환자에게는 즉시 심장충격을 시행한다.
- 자동심장충격기를 부착하여 분석 후, "심장충격이 필요하지 않습니다."라는 음성지시가 나오면 무수축이거나 무맥성 전기활동이라는 의미이다. 이런 환자에게는 즉시 심폐소생술을 다시 시작한다.
- 의식이 있는 사람에게는 자동심장충격기를 부착해서는 안 되며, 혹시 의식이 회복된 사람에게 부착된 자동심장충격기에서 "심장충격이 필요합니다."라는 지시문이 나오더라도 절대로 심장충격 버튼을 누르면 안 된다.

6 효과적인 자동심장충격기의 사용법

심장충격은 가능한 신속히 시행해주어야 그 성공률이 높아지고 따라서 환자의 생존률도 높아진다(그림 10). 아래 그래프에서 보여주듯이 심장충격은 1분이 지연될 때마다 그 성공률이 약 7-10%씩 감소하여 10분이 지연되면 성공률이 거의 0%에 가깝다. 119 구급대를 호출하면 평균 7-8분이 경과하여야 현장에 도착한다. 이런 이유로 심장정지 환자를 보자마자 119에 신고하고 자동심장충격기를 요청해야 하며, 또한 119가 도착하기 전에도 심장충격이 가능하도록 많은 사람들이 사용하는 시설에는 자동심장충격기가 설치되어야 한다.

자동심장충격기가 도착하면 지체 없이 전원을 켜고 환자의 맨 가슴에 패드를 부착해야 한다(그림 11). 자동심장충격기가 준비되는 동안에는 1초도 중단하지 않고 고품질의 심폐소생술을 계속 시행한다. 심폐소생술을 시행하지 않으면서 자동심장충격기만 사용하는 경우보다 고품질의 심폐소생술을 하면서 자동심장충격기를 사용하는 경우에 심장충격 성공률 및 소생률이 더 높아진다.

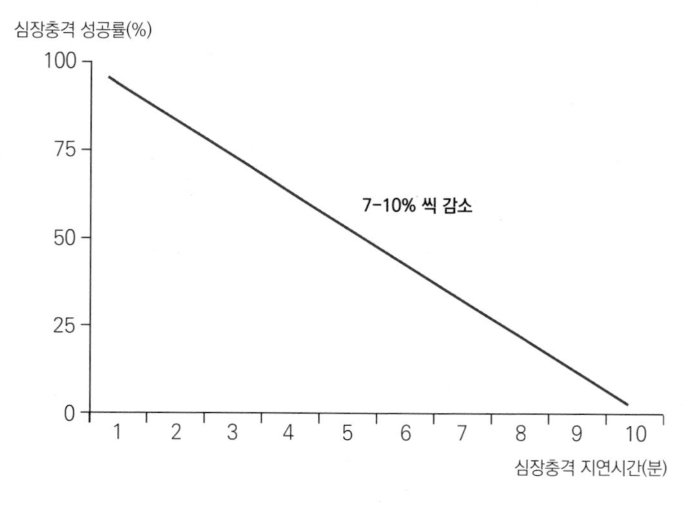

그림 10. **심장충격 지연시간에 따른 심장충격 성공률**

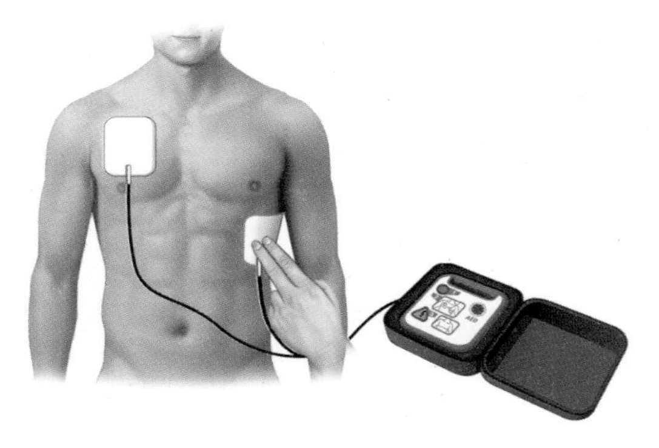

그림 11. **자동심장충격기 패드 위치**
오른쪽 빗장뼈 아래와 왼쪽 젖꼭지 아래의 중간겨드랑이선에 부착

7 가슴압박:인공호흡의 비율이 30:2인 이유

성인과 소아 심장정지에서 심폐소생술의 가슴압박:인공호흡의 비율은 30:2이다. 과거의 지침이었던 15:2보다 가슴압박의 비율을 2배로 올린 것이다. 이것은 가슴압박을 중단 없이 연속적으로 오래할수록 심장동맥관류압이 축적이 되어 점점 상승하는 효과를 최대한 활용하기 위한 조치였다. 가슴압박을 중단하면 쌓였던 심장동맥관류압이 급속히 소실되어 수 초 안에 바닥까지 떨어진다(그림 12). 자발순환 회복 성공률을 높이기 위해서는 심장동맥관류압을 최대한 높게 유지하는 것이 중요하다. 15회의 가슴압박 후 2회의 인공호흡을 위해 가슴압박을 중단하는 것보다는 30회의 가슴압박으로 더 높게 축적된 심장동맥관류압을 더 오래 유지한 후 2회의 인공호흡을 하는 편이 자발순환 회복에 더 효과적이다.

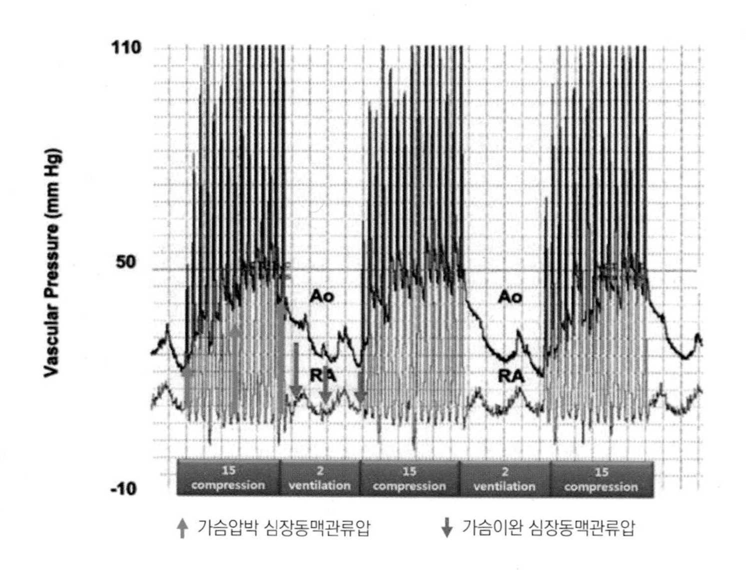

그림 12. 연속적 가슴압박과 심장동맥관류압

심장동맥관류압=이완기대동맥압–우심방압.
가슴압박 동안에 심장동맥관류압이 증가하나, 중단 시에는 심장동맥관류압이 감소한다.

2005년 지침에서는 충분한 과학적 근거가 없이 전문가의 견해와 시뮬레이션 연구들에 근거하여 30:2를 결정하였으나, 그 이후의 여러 연구들에 의해서 30:2로 시행하는 심폐소생술이 더 좋은 결과를 나타낸다는 사실이 증명되었다.

⑧ 전화도움 심폐소생술

'전화도움 심폐소생술'이란 신고를 받은 119의 구급상황(상담)요원의 지도를 받아서 하는 심폐소생술이다(그림 13).

일반인이 반응이 없는 사람을 발견하면 2015년부터 심폐소생술 지침에 따라 즉시 119에 신고한다. 신고를 받은 구급상황(상담)요원은 전화로 환자의 상태를 파악한다. 환자가 의식이 없고 무호흡 또는 비정상호흡을 보인다면 심장정지로 간주하고 가슴압박소생술을 목격자가 실시할 수 있도록 유무선 전화로 지도한다.

심장정지를 처음 목격하는 일반인은 심장정지 상태라고 판단하기 어렵고, 또 심폐소생술 교육을 받았더라도 적절한 심폐소생술을 시행하기까지 시간이 지체될 수 있기 때문이다. 이와 같이 전화도움 심폐소생술을 하게 되면 일반인이 현장에서 심폐소생술을 시작할 확률이 높아지고, 심장정지로부터 심폐소생술을 시작하기까지의 시간이 짧아지고, 더 효과적인 심폐소생술을 할 수 있다.

그림 13. **구급상황(상담) 요원의 조언에 의한 전화도움 심폐소생술**

1) 구급상황(상담)요원의 역할

구급상황(상담)요원은 심장정지 환자의 초기 응급처치에 절대적으로 필요한 구성원으로서, 환자와 신고자 사이를 연결하는 역할을 한다. 구급상황(상담)요원이 신고자에게 확인해야 할 사항은 환자의 반응이 있는지, 호흡이 정상인지 비정상인지이다. 구급상황(상담)요원은 환자가 의식이 없으면서 호흡이 없거나 비정상 호흡일 때 심장정지 상태라고 판단한다. 구급상황(상담)요원은 심장정지 상태라고 판단되면 실시간 전화 통화를 통해 표준화되고, 의학적으로 승인된 '전화도움 심폐소생술'을 지도하여, 구급대가 도착하기 전까지 심폐소생술을 시행할 수 있도록 도와주어야 한다.

2) 휴대전화 전환 방법

구급상황(상담)요원이 전화로 알려주는 사항을 효율적으로 시행하기 위해서는 스피커 통화(한뼘 통화)를 시행하는 것이 바람직하다. 구조자가 혼자이면서 휴대전화를 가지고 있는 경우, 구조자는 휴대전화의 '한뼘 통화' 또는 '스피커 통화'로 전환하거나, 핸즈프리 기능을 활성화한 후 즉시 심폐소생술을 시작하고 필요하면 구급상황(상담)요원의 도움을 받는 것을 권장한다(그림 14, 15).

구급상황(상담)요원은 신고한 일반인에게 가슴압박소생술을 지도하고, 일반인 구조자는 구급상황(상담)요원의 지도대로 심폐소생술을 하고, 구급대가 도착할 때까지 통화상태를 유지한다.

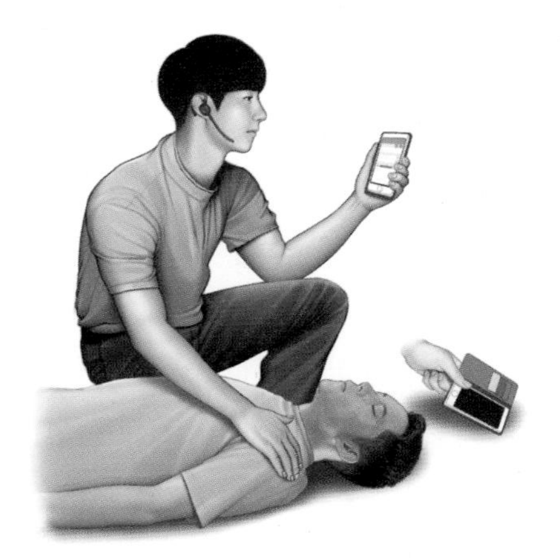

그림 14. **스피커폰 또는 핸즈프리 기능의 활성화**

그림 15. **한뼘통화 또는 스피커 통화 전환 방법**

9 소아와 영아의 심폐소생술

소아 심장정지에서 기본소생술은 자발순환의 회복 및 생존율에 가장 큰 영향을 주며 그 시작은 생존사슬의 첫 단계인 심장정지의 예방에 있다. 심장정지의 생존사슬은 심장정지의 인지 및 구조 요청으로 시작하지만, 이에 앞서 심장정지의 예방은 병원밖에서의 손상 예방과 안전을 위한 여러 제도적 장치부터 출발하고 병원내에서는 조기경보체계 등을 활용하여 심장정지 상태가 되지 않도록 하는 노력이 중요하다. 생존사슬의 다섯 가지 요소 중 첫 세 가지 과정이 기본소생술에 해당한다(그림 16). 성인과 같이 소아에서도 일반인에 의한 신속하고 효과적인 심폐소생술은 성공적인 자발순환회복과 신경학적 회복에 도움이 된다.

소아에서는 질식성 심장정지가 더 흔하므로 심장정지를 인지한 경우 신속한 구조 요청 못지않게 신속한 심폐소생술이 중요하다. 하지만 휴대전화 보급률이 높은 우리나라의 현실을 고려하여 성인의 기본소생술과 마찬가지로 소아에서도 심장정지 의심환자를 발견한 즉시 신고를 하도록 한다. 병원밖 소아 심장정지에 관한 국내 연구에서 심장정지 발생 이후 심폐소생술의 시작이 빠를수록 자발순환회복이 높게 나타나고 있음을 보여주고 있다. 현장에서의 신속하고 효과적인 일반인 심폐소생술은 병원밖 소아 심장정지에서의 자발순환 회복률을 높이고 생존 퇴원하는 때도 신경학적 결과가 더 양호하다.

그림 16. **소아 병원밖 심장정지 생존사슬**

소아와 성인 사이에는 심장정지 원인에 차이가 있으며 체구가 다르므로 심폐소생술 방법에도 약간의 차이가 있다(표 1). 소아의 체구가 커서 성인과의 구분이 어려울 때는 구조자의 판단에 따라 소아 또는 성인 심폐소생술을 적용하면 된다(그림 17).

- 소아의 기준: 만 1세부터 만 8세 미만까지
- 성인에서의 심폐소생술과 기본적으로 동일하나, 소아의 체구가 작으면 한 손으로 가슴압박을 할 수 있음
- 소아와 성인은 심장정지의 원인에 차이가 있으므로, 가능하면 인공호흡이 포함된 심폐소생술 시행
- 영아의 기준: 만 1세 미만의 아기
- 영아의 가슴압박은 "두 손가락 가슴압박법"으로 시행

표 1. **연령에 따른 1인 구조자 심폐소생술 방법**

구 분	성 인	소 아	영 아
연 령	만8세 이상	만1세-만8세 미만	만1세 미만
심장정지 확인	무반응 + 무호흡 혹은 심장정지 호흡		
가슴압박 위치	가슴뼈의 아래쪽 1/2		젖꼭지 연결선 바로 아래의 가슴뼈
가슴압박 방법	두 손으로	두 손 또는 한 손으로	두 손가락으로
가슴압박 깊이	약 5 cm	가슴 두께의 최소 1/3 이상(4-5 cm)	가슴 두께의 최소 1/3 이상(4 cm)
가슴압박 속도	분당 100-120회의 속도(30회 압박시간: 약 15-18초)		
반복 주기	30회 가슴압박: 2회 인공호흡(1인 구조자)		
인공호흡	가슴의 상승이 눈으로 확인될 정도(1초 동안)		
일반인 구조자	가슴압박소생술 표준심폐소생술	표준심폐소생술	
자동심장충격기	사용		

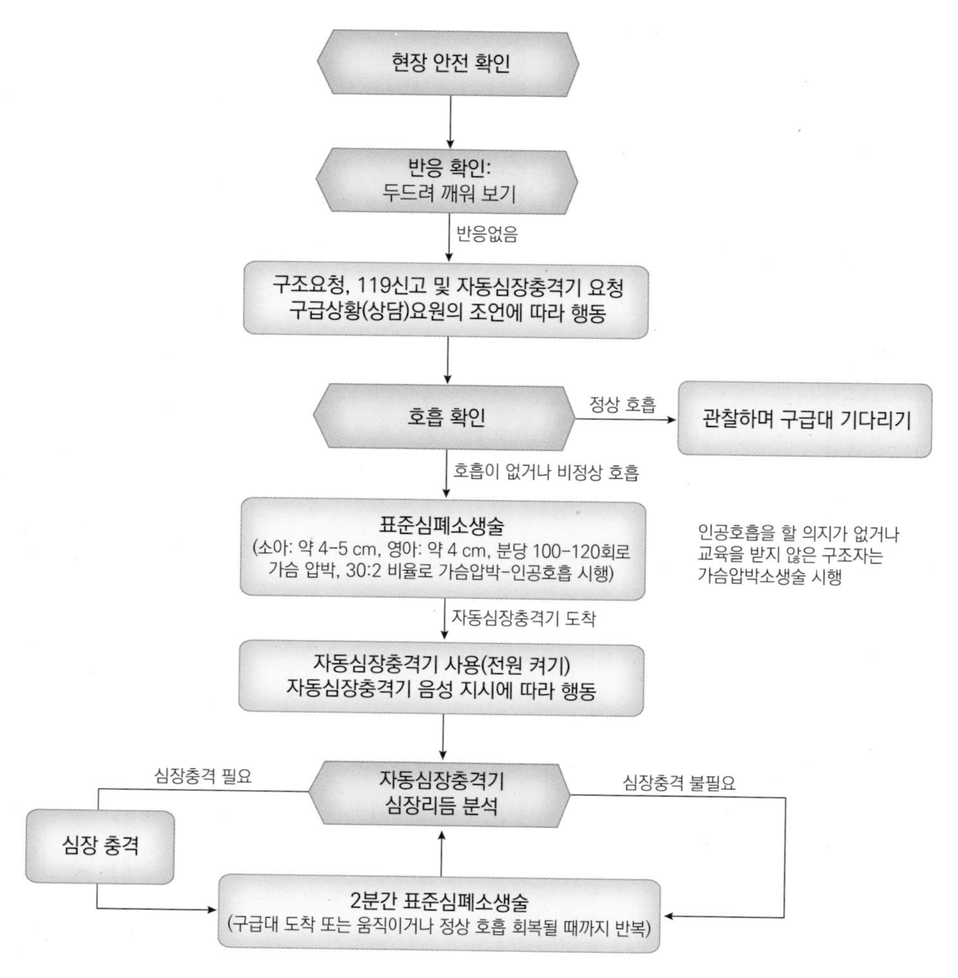

그림 17. **일반인 구조자에 의한 소아(영아) 기본소생술 흐름도**

심장정지 상태에서 적절한 가슴압박은 주요 장기로 가는 혈류를 유지하고 자발순환회복의 가능성을 높인다. 만약 영아나 소아가 반응이 없고 숨을 쉬지 않는 상태라면, 즉시 30번의 가슴압박을 실시한다. 적절한 가슴압박은 100-120회의 속도로 압박하고, 적어도 흉곽 전후 지름(가슴 두께)의 1/3 깊이 또는 영아에서 약 4 cm, 소아에서 약 4-5 cm의 깊이를 압박하는 것이다. 가슴압박은 평평하고 딱딱한 바닥에 눕혀서 실시하는 것이 가장 좋다.

영아의 경우, 구조자가 1인일 때는 두 손가락으로 젖꼭지 연결선 바로 아래의 가슴뼈를 압박한다(그림 18). 이때 칼돌기와 갈비뼈를 압박하지 않도록 주의한다.

2인 이상의 구조자가 있는 경우, 한 구조자는 가슴압박을, 다른 구조자는 인공호흡을 시행하며, 2분마다 또는 5주기(가슴압박과 인공호흡을 30:2의 비율로 5회 반복)의 심폐소생술을 시행한 후에 역할을 교대한다.

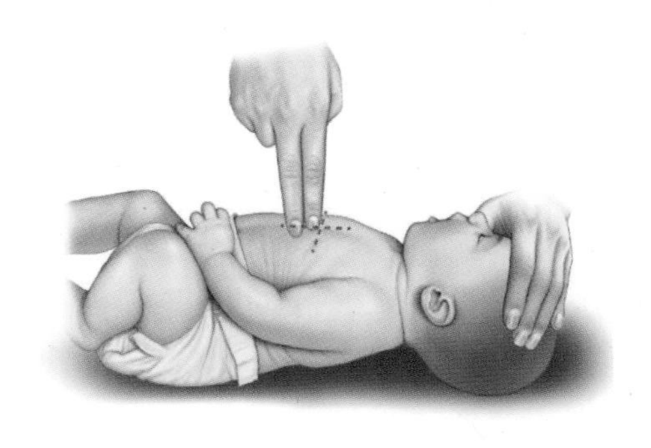

그림 18. **영아의 가슴압박 (두 손가락 가슴압박법)**

⑩ 이물질에 의한 기도폐쇄

1) 기도폐쇄의 개념

음식물이나 작은 장난감 같은 이물질이 기도를 부분적 또는 완전히 막아서 호흡을 방해하는 상태를 '이물질에 의한 기도폐쇄'라고 말한다. 기도폐쇄는 흔히 치아가 없는 노인, 의식이 저하된 환자, 또는 소아 및 영아에서 흔히 발생되며 음식을 먹으면서 웃거나 이야기를 하는 도중에 발생될 수 있다.

불완전 기도 폐쇄는 환자가 소리를 내거나 숨을 쉴 수 있으므로 기침을 유도하여 환자가 스스로 이물질을 뱉어내도록 한다. 그러나 완전 기도 폐쇄는 손으로 목을 움켜쥐는 동작을 취하고, 기침을 하지 못하거나, 소리를 내지 못하며, 숨쉬기 힘들어 하고 점차 얼굴이 파래지는 청색증이 나타나므로 즉시 119에 신고하고, 응급처치를 곧바로 시행한다.

2) 완전 기도폐쇄 환자의 응급처치 방법

심각한 기도폐쇄의 징후를 보이며 효과적으로 기침을 하지 못하는 성인이나 1세 이상의 소아 환자를 발견하면 즉시 등 두드리기를 시행한다. 등 두드리기를 5회 연속 시행한 후에도 효과가 없다면 복부 밀어내기(하임리히법) 5회를 시행한다

기도폐쇄의 징후가 해소되거나 환자가 의식을 잃기 전까지 계속 등 두드리기와 복부 밀어내기를 시행한다. 성인 환자가 의식을 잃으면 구조자는 환자를 바닥에 눕히고 119에 신고한 후 즉각 심폐소생술을 시행한다.

• 의식이 있는 완전 기도폐쇄 성인/소아 환자의 등 두드리기 5회(그림 19)

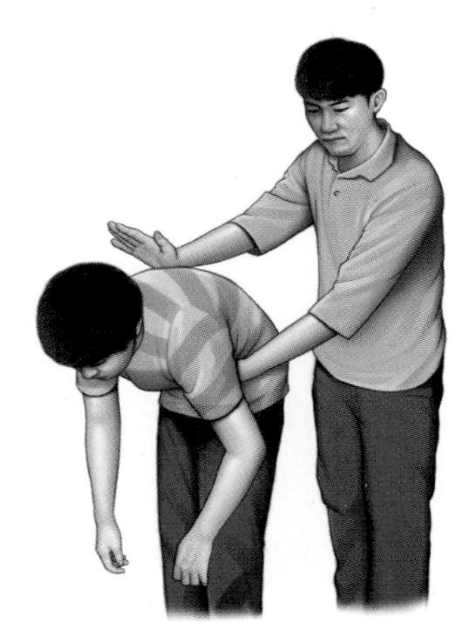

그림 19. **등 두드리기 5회를 시행한다.**

• 등 두드리기에 효과가 없다면 복부 밀어내기 5회(그림 20)

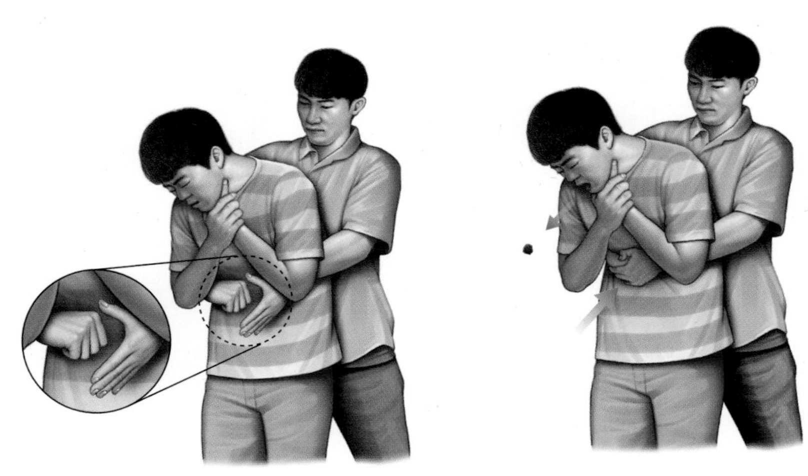

그림 20. **복부 밀어내기 방법**

이물에 의한 완전 기도폐쇄를 치료하기 위하여 주먹을 명치와 배꼽 사이에 놓는다.

• 완전 기도폐쇄로 의식을 잃은 성인/소아 환자의 응급처치 방법
  - 심폐소생술을 시행한다.
• 특별한 상황에서의 완전 기도폐쇄 응급처치 방법
  - 체구가 크거나 임부에서는 등두드리기와 가슴 밀어내기를 시행한다.
• 완전 기도폐쇄 영아의 응급처치 방법
  - 1세 미만 영아의 기도폐쇄는 단추, 동전, 구슬, 장난감 등의 이물질을 입에 넣었다가 삼키면서 발생하는 경우가 많다. 영아에서 기도폐쇄가 의심되는 경우에는 복강 안에 있는 장기 손상의 위험성이 크기 때문에 성인과 다르게 '등 두드리기와 가슴압박'이 권장된다.
  - 이물질이 튀어나오거나 영아의 호흡이 회복될 때까지 등 두드리기와 가슴압박을 5회씩 반복적으로 실시한다. 만약 영아가 의식을 잃으면 즉시 119에 신고하고 심폐소생술을 실시한다(그림 21).

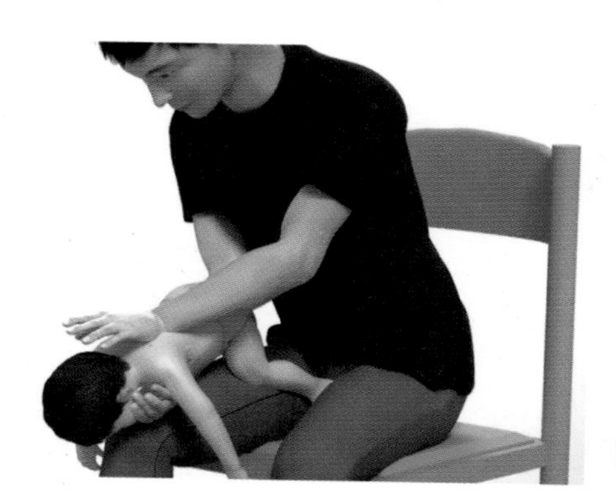

그림 21. **영아 기도폐쇄 처치법**

⑪ 감염병 의심환자에서 심폐소생술 고려사항

심폐소생술을 시행할 때는 환자와 구조자가 접촉하게 되므로 감염전파의 가능성이 있다. 심폐소생술과 관련되어 구조자가 사스, 메르스, 중증열성혈소판감소증후군 등에 감염된 사례가 보고되었다. 병원밖 심장정지의 경우에는 환자의 감염 여부를 정확히 알 수 없으므로 감염병 유행 시기(예: 코로나-19 바이러스 감염)에는 구조자가 감염의 우려 때문에 심폐소생술을 시행하는 것을 꺼릴 수 있다. 하지만 심폐소생술에 포함된 술기의 종류에 따라 감염전파의 위험도는 차이가 있으며 적절한 보호장구를 착용하는 등의 예방 조치를 시행한다면 감염에 대한 우려 없이 심장정지 환자의 생존을 보장할 수 있다.

일반인 구조자는 심폐소생술을 시작할 때 현장이 안전한지 확인하면서 감염 차단을 위해 보건용 마스크(가능한 KF 94)를 착용하여야 한다. 이를 위해 감염병 유행 시기에는 항상 마스크를 착용하거나 여분의 마스크를 지참하는 것을 권장한다. 반응과 호흡을 확인할 때는 환자의 기도를 여는 조작을 하거나 얼굴을 환자의 얼굴에 가까이 가져가지 않도록 한다. 호흡을 확인하여 호흡이 없거나 정상이 아닌 경우에는 가슴압박을 시작하기 전에 환자의 호흡기에서 배출될 수 있는 분비물을 차단하기 위해 환자에게 마스크를 착용시키거나 코와 입을 천이나 수건 등으로 덮을 것을 권장한다(그림 22).

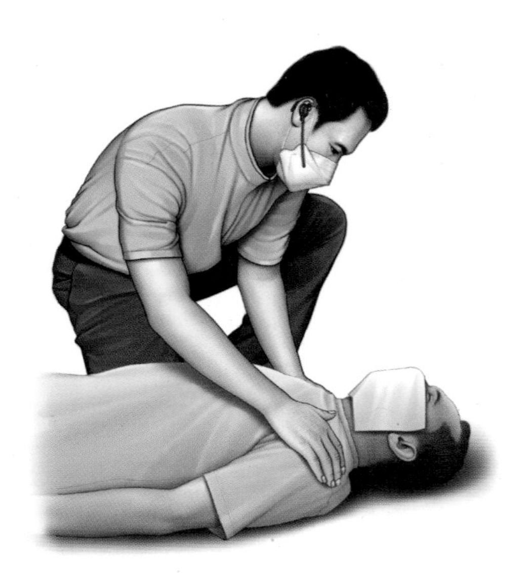

그림 22. 감염이 의심되는 환자의 얼굴 가리기

일반인의 경우 감염 위험을 줄이기 위해 인공호흡 없이 가슴압박만 시행하며, 자동심장충격기를 활용하는 경우에는 감염전파에 유의하면서 적극적으로 시행할 것을 권장한다(그림 23). 심폐소생술을 마친 후 구조자는 감염관리 예방수칙에 따라 가능한 한 빨리 비누와 물로 손을 깨끗이 씻거나 알코올로 만들어진 손 소독제로 손을 소독하여야 하며 옷을 갈아입을 것을 권장한다. 또한, 필요시에 지역 보건소에 연락하여 감염 관리 지침에 따른다.

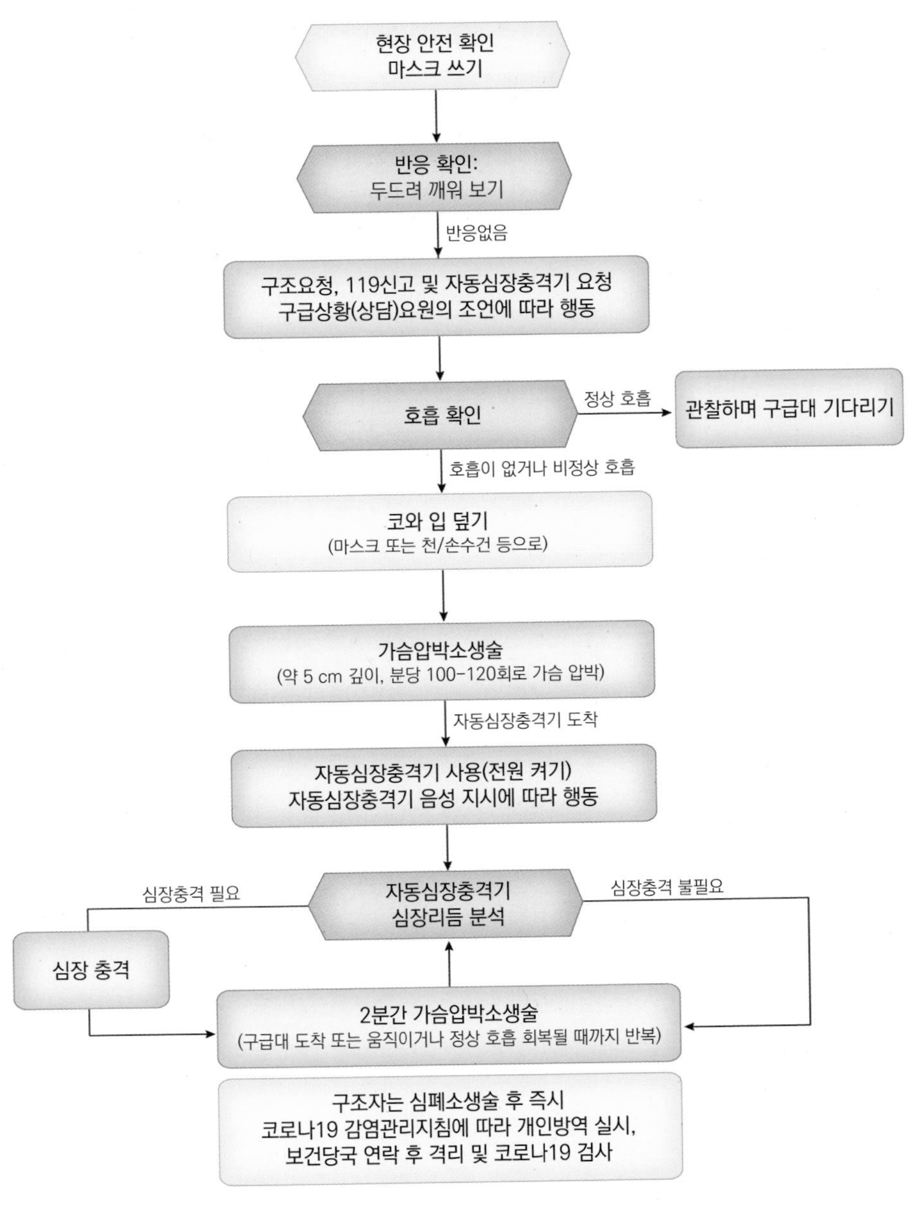

그림 23. **감염병 의심환자에서 일반인 구조자 기본소생술 흐름도**

⓬ 익수 환자의 심폐소생술 고려상황

익수는 전 세계적으로 비의도적 손상으로 인한 사망의 세 번째 주요 원인으로 연간 36만 명 이상이 사망한다. 침수 시, 빠르게 저산소혈증이 발생하기 때문에 익수 피해자를 발견하였을 때 심장정지를 막기 위하여 빠른 처치가 필요하다. 목격자가 현장에서 바로 소생술을 시행하는 것은 환자의 소생률을 높일 수 있지만, 구조자의 위험과 필요한 자원을 함께 고려해야 하는 일이다. 익수로 인한 심장정지 환자를 발견하였을 때 안전에 문제가 없다면 목격자가 즉시 소생술을 시행하는 것이 좋다. 만약 목격자가 충분히 훈련(예. 수상인명구조요원)되어 있고 구조 호흡을 하는 데 거부감이 없다면, 가슴압박과 동시에 인공호흡을 실시하는 것을 권고한다. 최근 연구에서는 목격자의 인공호흡이 생존과 연관성이 있으며, 신경학적 예후와 생존퇴원율을 향상한다고 보고되었다. 익수에 의한 심장정지의 흔한 원인은 저산소혈증이지만, 일부 환자에서는 심장부정맥에 의한 경우도 있으므로 자동심장충격기를 사용할 수 있다. 또한, 물속에서 의식과 호흡이 없는 환자를 물가에 데려가기 전 1분 동안 인공호흡을 시행한 그룹에서 초기 생존, 생존퇴원율, 신경학적 예후가 모두 좋았다는 임상 연구결과가 있으므로 충분한 훈련을 받은 구조 요원이 적절한 장비를 사용한다면 물 속에서 소생술을 시작하는 것을 고려할 수 있다. 익수 환자의 보트 위에서의 소생술은 안전한 환경과 충분한 구조자의 숫자가 확보되었다면 고려할 수 있다.

cardiopulmonary resuscitation

Chapter 03

일반인 심폐소생술 강사의 역할과 자질

심폐소생술 교육과정에서 강사의 주된 역할은 교육생들이 심장정지 상황에서 심폐소생술을 할 수 있도록 자신감을 심어주고 심폐소생술 술기를 몸에 익히도록 이끌어주는 것이다. 일반인 심폐소생술 교육과정 중에 강사는 교육생들에게 이론 강의를 하지는 않지만, 교육생들이 교육과정의 동영상을 보면서 정확하게 실습하도록 돕고 질의응답을 통해 교육생들의 의문점을 해소해주어야 한다. 심폐소생술을 배우려는 교육생들을 더욱 효과적으로 가르치기 위해 강사가 담당해야 할 역할과 강사로서 갖추어야 할 자질에 대해 알아보고자 한다.

교육 목표

1. 강사의 역할에 대해 알고 실천한다.
   - 교육생의 학습 동기 유발
   - 교육과정 준비
   - 교육생의 학습 촉진
   - 교육 환경의 관리
   - 역할 모델
2. 강사가 갖추어야 할 자질에 생각해보고 실천한다.
   - 전문적 지식과 책임감
   - 효과적인 의사소통 기술
   - 적절한 설명 기술
   - 객관성 유지
   - 자기점검

1 강사의 역할

1) 교육생의 학습동기 유발

교육생의 학습동기를 유발하기 위해서는 교육생들의 배경을 확인해야 한다. 즉 왜 교육과정에 참여하게 되었는지, 자발적인지(예: 집안에 환자가 있어 심폐소생술을 배우고 싶어 홈페이지를 보고 개별적으로 신청), 소속 집단의 요구에 의해 수동적으로 참여하게 되었는지(예: 학교에서 단체로 심폐소생술 교육 실시, 직장의 직무 교육 등), 교육생의 연령(예: 중학생인지, 성인인지, 노인 인지 등) 등에 대해 파악하고 교육생에게 가장 적합한 동기 유발 방법을 사용한다.

일반적으로 자발적인 의지로 참여한 교육생은 적극적으로 배우려는 의지가 강하지만, 수동적으로 참여한 교육생은 배우려는 의지가 약하기 때문에 교육 동안 강사의 세심한 관찰과 학습동기 유발을 위한 노력 및 적극적인 지도가 필요하다(그림 24).

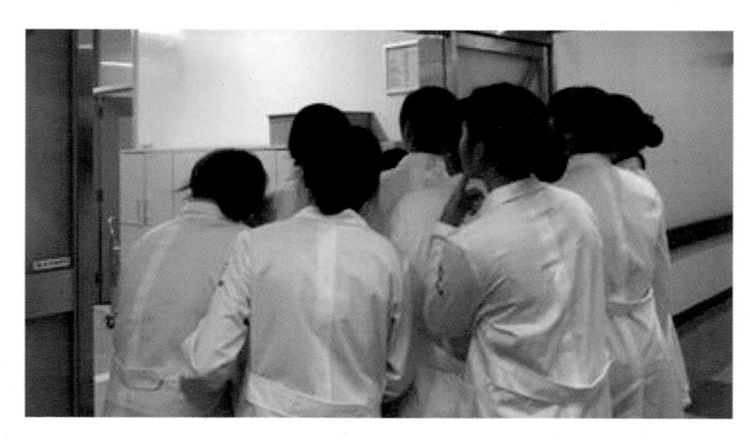

그림 24. **학습동기가 강한 교육생들의 모습**

효과적이고 효율적인 교육과정 운영을 위해서는 강사가 다음과 같은 동기 유발 방법들을 잘 알고 있어야 한다:

① 교육 시작할 때 교육생들에게 학습동기를 유발하기

② 교육 과정을 마친 후 교육생들에게 복습 및 재교육의 학습동기를 유발하기

교육 과정이 시작되면, 교육 내용이 참여한 교육생들의 경험 및 상황에 비추어 얼마나 중요한 의미를 가지는지를 강조하여 인식시키고 다양한 교육 방법들을 동원하여 집중력이 떨어지지 않게 교육하여야 한다. 예를 들어, 의료인을 포함한 병원 근무자들에게는 갑작스럽게 발생한 심장정지 환자를 제대로 대처하지 못했을 때 자신에게 돌아올 책임을 강조할 수도 있고 초등학생들에게는 부모님의 건강을 걱정하는 마음을 인정해 주거나 제대로 해내면 휴식시간을 더 주겠다는 식의 보상을 약속할 수도 있다.

무엇보다 중요한 것은 강사 자신이 교육 과정의 처음부터 끝까지 열정적인 태도로 교육을 진행함으로써 교육 내용의 가치를 돋보이게 하고 교육생들의 관심을 유도한다. 교육 과정이 완료된 후에는 교육생들이 배우고 체득한 지식과 술기를 오랜 기간 동안 잊지 않고 유지할 수 있는 방법들을 교육생들에게 소개(예: 강사의 핵심 요점 정리, 교육생들에게 상황을 제시하고 대처방법을 질문하기 등)하고 정기적인 재교육의 필요성을 설명한다.

2) 교육 과정의 준비

교육이 잘 이루어질 수 있도록 강사, 교육 장소, 음향 시설, 마네킹 및 교육 장비, 안내문과 같은 서류준비 등을 미리 점검한다. 구체적으로 다음 사항은 꼭 확인한다.

강사: 강사 대 교육생의 비율, 리드강사와 참여강사의 교육 경험

교육장: 교육생들이 충분히 연습할 수 있는 크기, 냉 · 난방 시설, 조명, 소음 여부, 매트 간격 유지

음향 시설: 마이크가 제대로 작동하는지, 소리의 크기가 적절한지 확인

마네킹 및 교육 장비: 장비(마네킹 및 교육용 자동심장충격기) 대 교육생 1:3으로 준비

- 마네킹 확인 사항 – 인공호흡 시 가슴상승이 보이는지, 청결한지 등(그림 25)
- 자동심장충격기 확인 사항 – 패드의 접착력, 배터리가 충분한지, 음성 지시의 소리 크기 등(그림 26)

서류 준비: 안내문, 일정표, 서명지, 이름표, 술기평가지 등

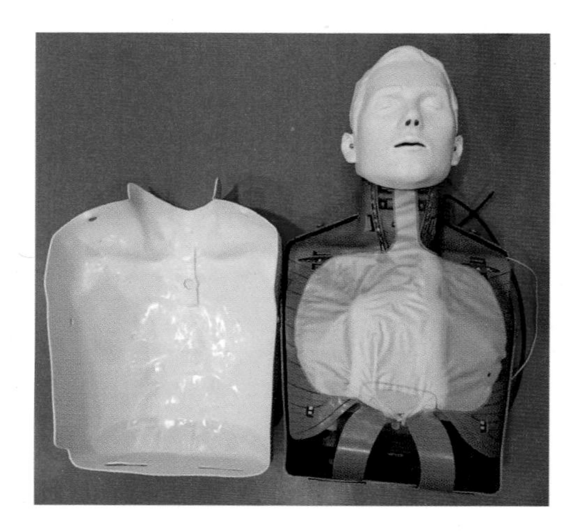

그림 25. **마네킹. 인공호흡이 잘 되는지 확인**

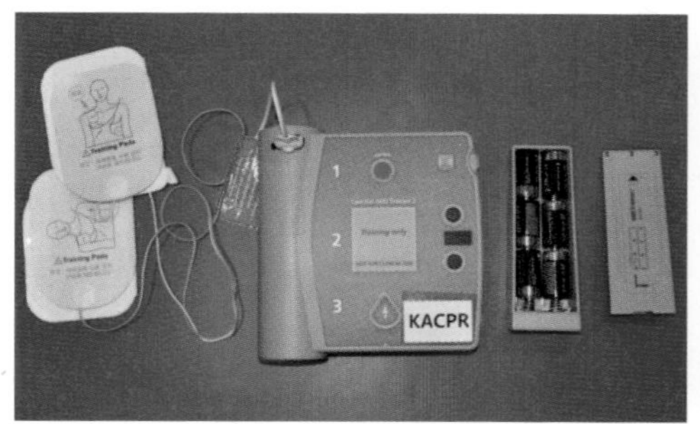

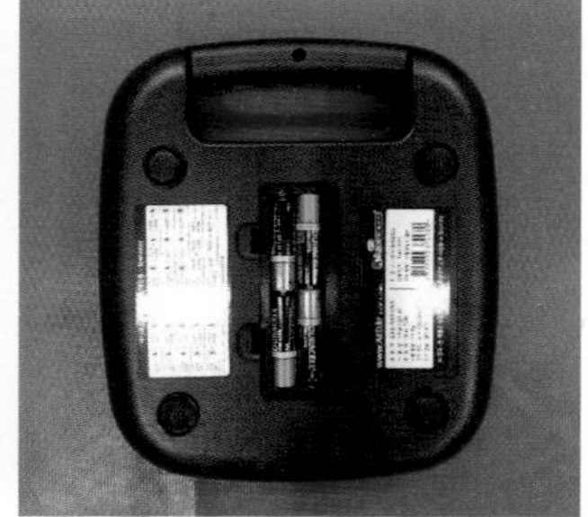

그림 26. **자동심장충격기. 패드 접착력, 배터리 확인**

3) 교육생 학습의 촉진

교육생들이 심폐소생술을 제대로 배울 수 있도록, 잘하는 부분은 구체적으로 칭찬해주고, 부족한 부분은 편견 없이 행동 그대로 묘사하면서 교정해주는 긍정적인 피드백이 중요하다. 이때 중요한 점은 '보면서 따라하기'에서는 동영상을 보면서 따라 하도록 하면서 부족한 부분만 행동으로 교정해주는 것이 좋다.

교육생들의 질문은 연습시간에 경청하여 답변해주고, 좋은 질문은 전체 교육생에게 공유하여 편안하게 질문할 수 있는 분위기를 형성해준다. 다음은 구체적인 학습 촉진 사례이다.

예) 칭찬할 때

: "압박속도가 분당 100-120회 속도에 있습니다. 아주 잘하고 있습니다."

예) 부족한 부분을 교정할 때

: "성인의 압박속도는 분당 100-120회로 30회 가슴압박이 15초에서 18초 사이에 시행해야 하는데 OO 교육생은 현재 13초로 분당 120회보다 빠릅니다. 지금과 같이 분당 120회 이상의 속도로 압박하게 되면 심장이 이완되지 않아 다음 번 압박 시 심장에서 충분한 혈류를 내보낼 수 없어 심폐소생술의 효과가 저하됩니다. 아무리 빨라도 30번 압박속도는 15초보다 빨라지지 않도록 해주세요. 자, 다시 한번 해볼까요."

4) 교육 환경의 관리

교육생들이 최대의 학습효과를 얻을 수 있게 하기 위해, 강사는 교육장 및 교육 환경에 대해 과정 시작 전에 준비를 철저히 하고 과정 내내 관심을 가지고 모니터링 해야 한다. 교육 환경에는 물리적 환경과 심리적 환경이 있다.

① 물리적 환경

실습 시 교육생들끼리 부딪치지 않도록 교육생 수에 맞는 적절한 크기의 교육장을 확보한다(그림 27). 뒤에 앉은 교육생들도 동영상을 잘 볼 수 있도록 배치한다.

교육생들의 소지품이 실습을 방해하지 않도록 정리하고, 귀중품이 분실되지 않도록 안내하거나 보관한다. 휴대전화가 교육 중에 울리지 않게 미리 공지한다. 교육장의 조명 밝기, 실내 온도, 동영상의 영상 및 음량의 적절성, 및 기타 불편 사항 등을 적절하게 조정한다.

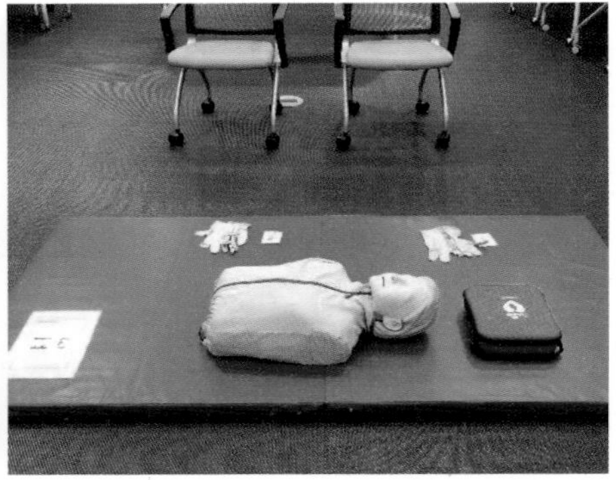

그림 27. **조명과 매트 간격의 적절성 점검**

② 심리적 환경

교육생들이 자유롭게 질문하고 부족하다고 지적된 부분을 심리적인 불편감 없이 개선할 수 있도록, 안정적이고 편안한 분위기를 조성하기 위해 노력해야 한다. 강사가 잘못된 부분을 교정하는 과정에서 교육생에게 소리를 지르거나, 감정적으로 비판하게 되면 교육생들은 심리적으로 불편하거나 위축되어 적극적으로 학습하고 틀린 부분을 개선하고자 하는 의지가 감소된다. 다음은 심리적으로 편안한 분위기를 조성하기 위해 자주 사용되는 방법들이다.

Tip 심리적 환경 조성 방법

1. 교육시작 전 교육생들을 환영한다.
2. 교육과정 중에 지켜야 할 '기본 규칙'을 함께 정한다(유의사항, 질문방법, 대략적인 일정 등).
   예) "교육 과정 동안 휴대전화는 무음으로 하거나 전원을 꺼주시기 바랍니다."
   "질문은 자유연습시간에 자유롭게 해주시기 바랍니다."
   "동영상을 볼 때는 강사의 지시에 따라 동영상을 보면서 연습해주시기 바랍니다."
3. 교육생들을 존중하고 참여를 중요하게 여긴다는 점을 강조한다.
   예) 연습시간에 연습하지 않는 교육생을 관찰했다면, 조용히 다가가서 그 교육생에게만 들리도록 "지금은 연습시간입니다. 제가 봐 드릴테니 한 번 해보세요" 등
4. 긍정적인 피드백을 주기 위해 노력한다.
   예) "압박자세는 정말 좋은데, 압박 깊이가 너무 얕습니다. 성인의 압박 깊이는 5 cm입니다. 이 연습용 마네킹의 경우 똑딱 소리가 발생하므로 똑딱 소리가 날만큼 힘을 주어 압박해야 합니다. 한번 해보세요."
5. 질문을 장려하고, 질문자를 칭찬한다.
   예) "참 좋은 질문입니다. 덕분에 명확하게 확인할 수 있게 되었네요."

5) 역할 모델(role model)

동영상을 '보면서 따라하기' 교육에서는 강사가 직접 강의를 하거나 술기를 직접 시연하는 것을 최소화하고 있다. 하지만 교육 과정 중의 질의응답 시간이나 자체 연습 시간을 통해서 강사가 직접 관련된 지식을 전달하고 교육생의 술기 부족을 교정하기 위하여 직접 술기를 시연하는 상황이 있을 수 있다.

이때 강사가 풍부한 지식의 효과적인 전달과 정확한 술기의 빈틈없는 시연을 통해 닮고 싶은 역할 모델로 부각된다면, 교육생들에게 학습 의지를 더 강하게 불러일으키고 자신도 더 노력해서 심폐소생술 강사가 되고 싶다는 생각까지 유도할 수 있다. 따라서 강사는 최신의 정확한 지식을 충분히 보유하고 표준화된 정확한 술기를 할 수 있어야 한다.

2 강사의 자질

1) 전문적 지식과 책임감

강사가 교육생들에게 전문가다운 모습을 보일 때 교육생들의 학습효과는 높아진다. 전문가다운 모습이란 전문적 지식을 갖추고 강사로서 교육생들이 심폐소생술을 잘 습득할 수 있도록 책임감을 가지고 노력하는 것이다. 교육생의 신뢰를 얻고 책임감 있게 강사역할을 수행하기 위해 다음의 사항 등을 고려한다.

① 전문가다운 용모와 언행: 깨끗한 의복, 단정한 용모, 올바른 언어, 자신감
② 심폐소생술과 그와 관련된 분야에 대한 정확하고 풍부한 최신 지식 보유
③ 정확하게 심폐소생술 술기를 시범 보일 수 있는 능력
④ 심폐소생술 및 심폐소생술 교육에 대한 열정과 책임감
⑤ 새로운 지식이나 견해에 대한 개방적인 자세
⑥ 시간 엄수: 시작 및 종료 시간을 지키기
⑦ 자신이 모르는 부분에 대해 인정하기
⑧ 선입견이나 개인적 편견을 드러내지 않기
⑨ 적절한 유머를 구사하여 교육생들의 학습 흥미를 유지하기

2) 효과적인 의사소통 기술

의사소통을 잘 하는 사람은, 자신이 알고 있는 정보를 다른 사람들에게 정확히 잘 전달하고 상대방의 말이나 반응을 정확히 파악하고 이해하는 사람을 의미한다. 의사소통에서 말의 내용은 7%, 말의 속도, 발음과 같은 언어적 요소는 38%, 자세, 몸짓과 같은 비언어적 요소는 55%를 차지한다고 알려져 있으므로 강사는 교육생들에게 효과적으로 교육 내용을 전달하기 위해서 반드시 언어적 요소와 비언어적 요소들의 중요성을 잘 알고 이를 교육현장에서

활용할 수 있어야 한다. 다음은 언어적 요소와 비언어적 요소에서 고려해야 할 부분들이다.

① 언어적 요소

- 문장: 분명하고 간결하고 구체적으로 말한다.
- 발음: 명확하고 간결하게 말한다.
- 속도: 천천히 말한다. 단, 너무 느리게 말하면 안 된다.
- 음성: 충분히 큰 성량으로 말한다. 중요한 단어는 큰 소리로 강조해서 말한다.
- 멈춤: 중요한 말을 할 때는 직전에 잠깐 말을 멈추면 주목을 더 끈다.
- 반복: 중요한 내용들은 2-3회 정도 반복해서 말한다.
- 억양: 단조로움을 피하고, 다양한 억양을 구사한다.

② 비언어적 요소

- 얼굴 표정, 자세, 몸짓, 손동작, 교육생과의 거리 변화, 눈 맞춤 등을 적절하게 활용한다.
- 교육생들에게 호감을 가지고 있음을 표현한다(예: 편안한 표정 짓기, 교육생에게 가까이 다가가기, 팔짱 끼고 말하지 않기 등).

다음은 의사소통 중 비언어적 요소들을 한눈에 볼 수 있도록 표로 정리한 내용들이다(표 2).

표 2. **의사소통의 비언어적 요소들**

얼굴 표정	부드럽고 우호적인 표정을 유지하되 중요한 내용에서는 단호한 표정을 할 수도 있다. 열의가 나타나는 표정을 유지한다.
눈 맞춤	관심을 표현할 수 있어서 교육 중에 강사-교육생 신뢰관계(rapport)를 형성하여 교육생들의 참여도를 높이는 데 중요하다. 한 사람 또는 몇 명만 너무 자주 주목하는 것은 피한다.
거리 조절	한 장소에만 서 있는 것보다는 여러 교육생들 사이에서 가까이 갔다 멀어졌다 하는 변화를 주는 것이 더 좋다.
자세, 몸짓, 손짓	교육생에 대한 호감을 표현할 때, 중요함을 강조할 때, 그리고 주목을 끌어내야 할 때 그 방향과 정도를 드러낼 수 있다.
신체 접촉	관심, 돌봄, 공감을 표현할 수 있다. 하지만 부적절하거나 과도한 신체 접촉은 오해를 살 수 있으니 주의해야 한다.

3) 적절한 강의 기술

① 존경받을 수 있는 품행과 언행

비열한 행동과 저급한 언어 사용은 절대로 피해야 한다. 유머를 구사하더라도 성차별, 인종차별, 비속어나 음담패설을 사용하는 것은 금기이다.

② 적절한 질문 사용

교육 시작 전•후에 학습내용에 관련한 질문을 적절히 활용함으로써 교육의 효과를 높일 수 있다. 질문을 하는 올바른 방법은 다음과 같다:

a. 질문 후 대답할 수 있는 시간을 배려한다.
b. 명확하게 대답할 수 있는 것을 간략하게 묻는다.
c. 지금 말하고 있는 주제와 관련성 있는 것을 묻는다.
d. 약간 어려운 내용을 묻는다.
   올바른 대답을 하면 칭찬받을 만한 것이어야 한다.
e. 교육생들로 하여금 변명을 하게 만들거나 수치심을 느끼게 하는 질문은 피한다.
f. 문제해결을 위한 판단력이나 정보를 구하는 질문이 적절하다.

③ 효과적인 피드백 활용

강사는 교육 과정을 진행하는 동안에 교육생들의 반응을 세심히 관찰하고 질문하기 등을 통해 교육생들의 이해도를 평가하여, 그 이후의 교육 과정 진행 방식을 더 효과적으로 변경할 필요가 있다. 술기 실습 동안에도 교육생들의 술기 능숙도를 세심히 관찰하여 틀리거나 미숙한 부분을 찾아내어 올바른 방식으로 할 수 있도록 고쳐주어야 한다. 이렇게 교육생들의 학습 수행도를 관찰하여 교육 목표치에 미달하는 부분을 찾아내어 교육생들에게 알려줌으로써 학생들이 학습 노력을 더욱 강화하도록 만드는 과정을 피드백(feedback, 되먹임)이라고 한다(그림 28)

그림 28. **피드백**

피드백은 올바른 방법으로 시행해야 효과적이다. 강사의 바람직한 피드백 방법은 표 3과 같다.

표 3. **피드백의 나쁜 방법과 바람직한 방법**

나쁜 방법	바람직한 방법
부정적으로 언급한다: 그렇게 얕게 누르면 안 되지요!	건설적으로 언급한다: 더 깊이 누르면 더 효과적이지 않을까요?
판정을 내린다: 가슴압박 속도가 너무 느리네요.	정보를 준다: 약 분당 80회로 압박했는데 최소한 분당 100회는 되어야 합니다.
사람을 평가한다: 평소에도 원래 그렇게 힘이 없나요? 참 못하네요. 세심하지도 않고 엉성하게 하네요.	행동을 설명한다: 압박 깊이가 3 cm 정도입니다. 4 cm으로 누르세요. 영아의 입과 코를 여러분의 입으로 완전히 덮으세요.
애매하고 분명하지 않다: 지침대로 하지 않았어요.	구체적이고 명확하다: 오른쪽 패드가 빗장뼈 위에 걸쳐서 붙였네요. 뼈는 피해서 붙여야 에너지 전달이 더 효과적입니다.
현재 하고 있는 내용과 관련이 없거나 오래 전에 했던 내용을 언급한다.	현재 하고 있는 내용이거나 그와 관련된 내용을 언급한다.

심폐소생술 술기 실습 중 교육생의 술기 수행도를 피드백 하는 경우, 강사가 직접 본인의 눈으로 관찰하는 것보다 '심폐소생술 술기 모니터링 장비'를 사용하여 피드백 하기를 권장한다(그림 29). 이렇게 하면 강사가 눈으로 보는 것보다 술기의 정확도를 수치로 측정하여 알려주므로 더 객관적이고 정밀하며, 장비만 있으면 여러 명의 교육생들이 동시에 피드백을 받으며 실습을 할 수 있는 장점이 있다.

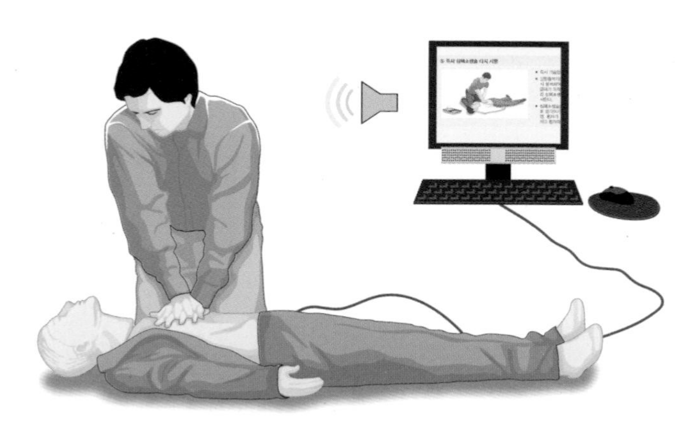

그림 29. **피드백 기능을 가진 마네킹을 사용한 심폐소생술 실습**

Tip **강사에 대한 교육생들의 피드백**

강사는 교육생들이 자신에게 제공하는 피드백에도 관심을 가져야 한다(그림 30). 심폐소생술 교육 과정이 끝나면 교육생들은 교육 과정의 충실도와 관련한 설문지를 작성하게 된다. 강사는 되돌려 받은 설문지를 꼼꼼히 확인하여 자신이 운영한 교육 과정을 학생들이 어떻게 생각하는지를 파악하고 부족한 부분이 발견되면 다음 교육 과정에서는 보완할 수 있도록 노력한다.

그림 30. **강사에 대한 교육생들의 피드백**

④ 다양한 배경의 교육생들을 위한 배려

심폐소생술 교육 과정에 참여하는 교육생들의 배경은 다양하다. 교육 과정마다 달라질 수도 있지만, 한 교육 과정에 참여한 교육생들이 다양할 수도 있다. 가능하면 비슷한 수준과 배경의 교육생들을 같은 교육 과정에 모아서 교육하는 것이 유리하지만, 현실적으로는 그렇지 못한 경우가 더 많다.

교육 내용을 이해하는 데 필요한 개념을 설명할 때 사용하는 용어와 설명을 위한 비유를 교육생의 수준에 맞게 맞추어야 한다.

교육생의 다양성을 감안하여 언행이나 태도에서 강사 자신의 편견을 드러내지 않도록 주의해야 한다. 특히 '종교', '정치', '성별', '인종/민족' 및 '지역감정'과 관련한 편향적 발언은 절대로 하지 말아야 한다.

4) 객관성 유지

여러 명의 교육생들을 대할 때, 객관성과 형평성을 유지하도록 최선을 다한다. 특정한 한 명 또는 소수의 교육생들을 특별히 대우한다든지 차별하지는 말아야 한다. 예를 들면, 강사가 그 교육생이 마음에 들거나 대답을 잘한다는 이유로 질문을 반복적으로 한 명에게만 하거나, 자신의 직장 상사나 동료라는 이유로 술기 평가에서 편향적으로 높게 평가하는 것이다.

강사의 객관성을 유지하기 위해 가능하면 조 배정 시 강사의 직장 상사나 동료관계의 교육생은 그 강사에게 배정하지 않도록 한다.

5) 자기 점검

강사는 자신이 참여한 교육 과정을 재검토하고 강사로서의 역할 수행도를 스스로 점검한다. 같이 참여한 다른 강사들과 함께 진행 경험들을 공유하여 잘된 점과 잘못된 점들을 정리하고, 그것을 다음 교육 과정에 반영하도록 노력한다. 다음에 소개된 자가 점검표와 같은 방법을 통해 교육 과정 전 또는 교육과정 후에 스스로를 점검해 보는 것도 좋은 방법이 될 수 있다(표 4).

Tip 강사의 교육 과정 전 '5W 1H' 자가 점검

- Why: 나는 왜 가르치려고 하는가? (교육의 목적과 목표를 명확히 인식하고 있는가?)
- What: 무엇을 가르치려고 하는가? (교육의 주제와 내용을 명확히 알고 있는가?)
- Who: 누구를 가르치려고 하는가? (교육생들의 특성과 요구를 명확히 파악하고 있는가?)
- When: 언제/얼마나 오랜 동안 가르치려고 하는가? (교육 시기와 시간을 충분히 고려하였나?)
- Where: 어디서 가르치려고 하는가? (최적의 교육장을 선정하고 준비하였나?)
- How: 어떻게 가르치려고 하는가? (교육 방법/교육 장비/교재 등을 적절히 선정하였나?)

표 4. **강사의 교육 후 자가 점검표**

<table>
<tr><th rowspan="2"></th><th rowspan="2">점검 항목</th><th colspan="2">아니다</th><th>보통</th><th colspan="2">그렇다</th></tr>
<tr><th>1</th><th>2</th><th>3</th><th>4</th><th>5</th></tr>
<tr><td rowspan="4">언어적 표현</td><td>1. 발음을 정확히 했는가?</td><td></td><td></td><td></td><td></td><td></td></tr>
<tr><td>2. 말하는 속도가 적절했는가?</td><td></td><td></td><td></td><td></td><td></td></tr>
<tr><td>3. 목소리 크기가 적절했는가?</td><td></td><td></td><td></td><td></td><td></td></tr>
<tr><td>4. 내용에 따라 목소리의 높낮이를 잘 구사했는가?</td><td></td><td></td><td></td><td></td><td></td></tr>
<tr><td rowspan="4">얼굴 표정</td><td>5. 얼굴 표정은 부드러웠는가?</td><td></td><td></td><td></td><td></td><td></td></tr>
<tr><td>6. 항상 미소를 띠고 있었는가?</td><td></td><td></td><td></td><td></td><td></td></tr>
<tr><td>7. 모든 교육생들과 골고루 눈맞춤을 했는가?</td><td></td><td></td><td></td><td></td><td></td></tr>
<tr><td>8. 시선을 자료와 교육생들에게만 주었는가?</td><td></td><td></td><td></td><td></td><td></td></tr>
<tr><td rowspan="4">몸동작</td><td>9. 자세는 적절했는가?</td><td></td><td></td><td></td><td></td><td></td></tr>
<tr><td>10. 몸동작이 자연스럽고 적절했는가?</td><td></td><td></td><td></td><td></td><td></td></tr>
<tr><td>11. 긴장하지 않고 적절하게 움직였는가?</td><td></td><td></td><td></td><td></td><td></td></tr>
<tr><td>12. 긍정적인 느낌을 줄 수 있는 태도를 취했는가?</td><td></td><td></td><td></td><td></td><td></td></tr>
<tr><td rowspan="3">강의 진행</td><td>13. 강의에 열의가 느껴지게 했는가?</td><td></td><td></td><td></td><td></td><td></td></tr>
<tr><td>14. 강의 속도와 흐름은 적절했는가?</td><td></td><td></td><td></td><td></td><td></td></tr>
<tr><td>15. 강의 시간 조절은 잘했는가?</td><td></td><td></td><td></td><td></td><td></td></tr>
<tr><td rowspan="5">자기 강의 구성</td><td>16. 강의의 시작이 적절했는가?</td><td></td><td></td><td></td><td></td><td></td></tr>
<tr><td>17. 강의의 끝맺음이 잘 되었는가?</td><td></td><td></td><td></td><td></td><td></td></tr>
<tr><td>18. 강의에 숨 돌릴 여유가 있었는가?</td><td></td><td></td><td></td><td></td><td></td></tr>
<tr><td>19. 강의가 호기심을 유발하게 진행되었나?</td><td></td><td></td><td></td><td></td><td></td></tr>
<tr><td>20. 가장 중요한 내용이 강조/부각되었는가?</td><td></td><td></td><td></td><td></td><td></td></tr>
<tr><td colspan="2">채점 및 판정(20-100점 사이)</td><td colspan="5">85 - 100점: 매우 잘함
70 - 84점: 잘함
50 - 69점: 보통
30 - 49점: 못함
20 - 29점: 아주 못함</td></tr>
</table>

cardiopulmonary resuscitation

Chapter 04

교육 프로그램 종류와 술기 지도 방법

1 일반인 심폐소생술 교육과정의 종류

일반인 심폐소생술 교육과정은 두 단계로 분류되며, 기초 교육과정과 심화 교육과정이 있음

1) 기초 교육과정(표 5)

- 교육시간: 80분
- 특징: 가슴압박소생술

표 5. **일반인 기초 교육과정 프로그램**

교육과정	방법	시간(분)
교육과정 및 강사 소개	설명	4
목격자 심폐소생술 중요성 선의의 응급의료에 대한 면책	동영상 시청	12
현장 안전 확인, 심장정지 인지, 호흡확인	보면서 따라하기	6
전화도움 심폐소생술		6
가슴압박소생술		15
인공호흡 소개	동영상 시청	3

교육과정	방법	시간(분)
자동심장충격기 소개 및 실습	실습	10
성인 심폐소생술과 자동심장충격기 전체 실습		15
소아 심폐소생술 소개	동영상 시청	3
생존환경과 생존사슬		3
과정종료 및 질의응답	실습	3

2) 심화 교육과정(표 6)

- 교육시간: 180분
- 특징: 인공호흡이 포함된 표준심폐소생술
  술기 평가

표 6. **일반인 심화 교육과정 프로그램**

교육과정	방법	시간(분)
교육과정 및 강사 소개	설명	5
심장정지 예방 목격자 심폐소생술의 중요성 선의의 응급의료에 대한 면책	동영상 시청	12
현장 안전 확인, 심장정지 인지, 호흡확인	보면서 따라하기	6
전화도움 심폐소생술		6
가슴압박과 인공호흡		20
심폐소생술 전체과정 실습		20
소아 심폐소생술		8
자동심장충격기 소개 및 실습	실습	15
성인 심폐소생술과 자동심장충격기 전체 실습		20
휴식		10
영아 심폐소생술	따라하기	5
이물질에 의한 기도폐쇄(성인/소아/영아)	실습	15
생존환경 및 생존사슬	동영상 시청	3
술기평가(심폐소생술, 자동심장충격기)	평가	30
과정 종료 및 질의응답		5

❷ 술기 지도방법

실습은 동영상을 보는 동시에 실습을 하는 '보면서 따라하기' 방법으로 진행한다. 강사는 교육생이 표준화된 술기를 익히기 위하여, 다음과 같이 지도한다.

1) 보면서 따라하기(PWW: Practice While Watching) 방법 설명(그림 31, 32)

① 동영상을 보면서 동시에 따라 실습한다고 설명

② 화면이 잘 안 보이는 교육생은 없는지 확인

③ "주목하세요" → 실습을 중지하고 동영상 주목

④ "따라하세요" → 동영상을 보면서 동시에 실습

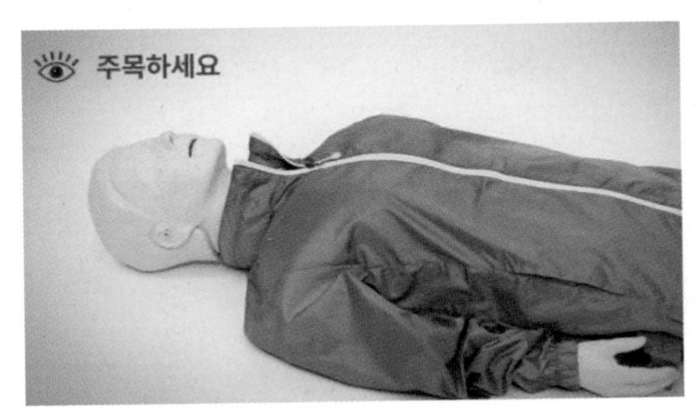

그림 31. **동영상 실습과정에서의 '주목하세요'**

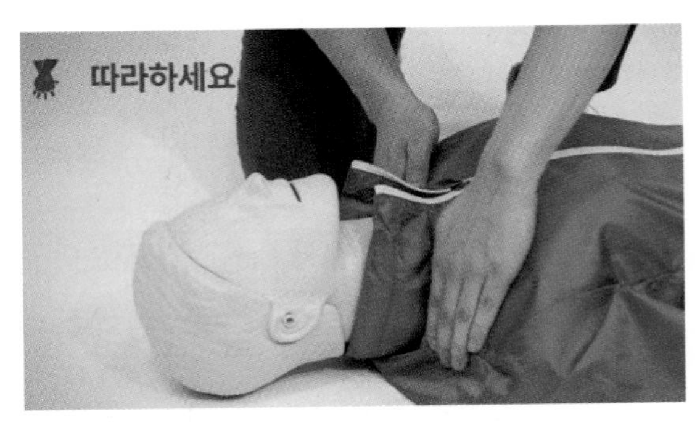

그림 32. **동영상 실습과정에서의 '따라하세요'**

2) 안전 확인

교육생이 눈으로만 마네킹 주변을 한 바퀴 살피도록 지도한다.

3) 호흡 확인

교육생이 마네킹의 얼굴, 가슴과 배를 동시에 보면서 5초에서 10초 사이로 숨을 쉬는 것이 보이는지 확인하도록 지도한다(그림 33). 5초보다 짧거나 10초보다 길지 않도록 한다.

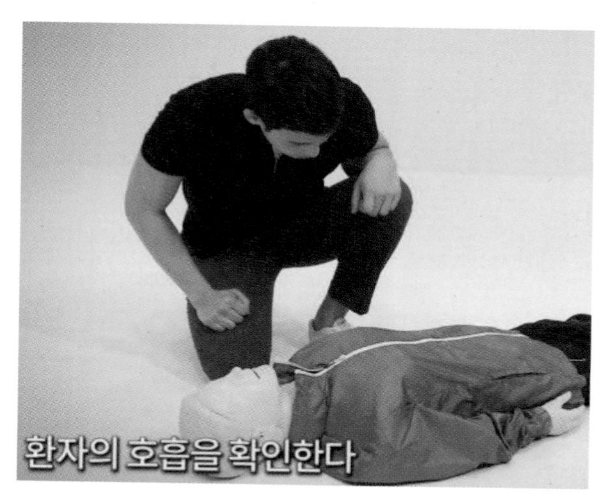

그림 33. **호흡확인 방법**
환자의 얼굴, 가슴과 배를 동시에 5초에서 10초 동안 관찰한다.

4) 전화도움 심폐소생술

① 순서를 미리 설명한다. “본인의 휴대전화로 직접 신고하는 방법을 실습하겠습니다. 동영상에서 119대원이 물어보면 여러분이 직접 대답하여야 합니다.”

② 교육생이 자신의 휴대전화를 꺼내어 놓도록 준비한다.

③ 휴대전화 종류에 따라 '한뼘통화(스피커통화)' 또는 핸즈프리를 작동하도록 지도하고, 스스로 못하는 교육생은 담당 강사가 가르쳐주도록 한다(그림 34).

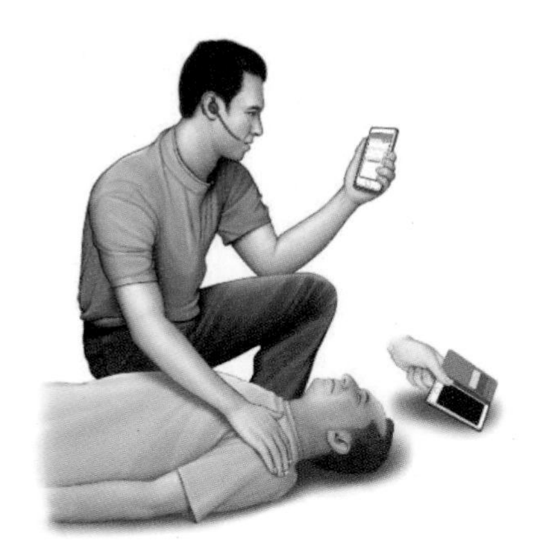

그림 34. **한뼘통화 또는 스피커 통화 전환 방법**

④ 동영상을 시작한다.

⑤ 119대원이 물어보고 교육생이 대답하는 장면에서는 "여러분이 크게 대답하세요"라고 격려한다(그림 35).

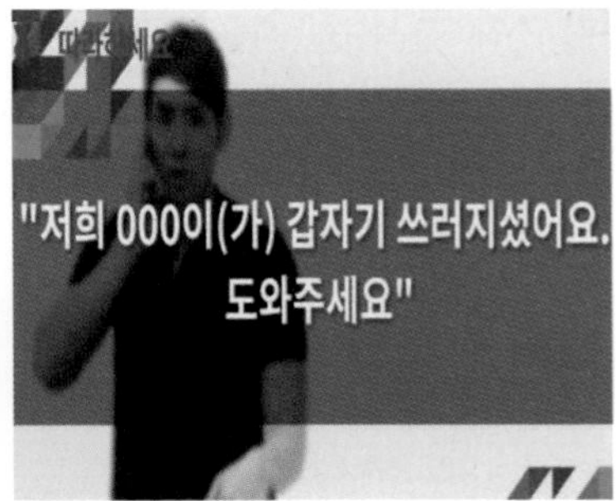

그림 35. **119대원과 교육생 대답**

5) 가슴압박 위치 찾기

성인과 소아 가슴압박에서는 교육생에게 가슴뼈 아래쪽 1/2 위치를 찾도록 지도한다(그림 36). '양쪽 젖꼭지를 연결하는 가상의 선의 중간'을 알려 줄 수도 있지만, 고령의 환자에서는 일치하지 않을 수도 있다고 설명한다. 영아 가슴압박에서는 젖꼭지 연결선 바로 아래의 가슴뼈를 압박한다.

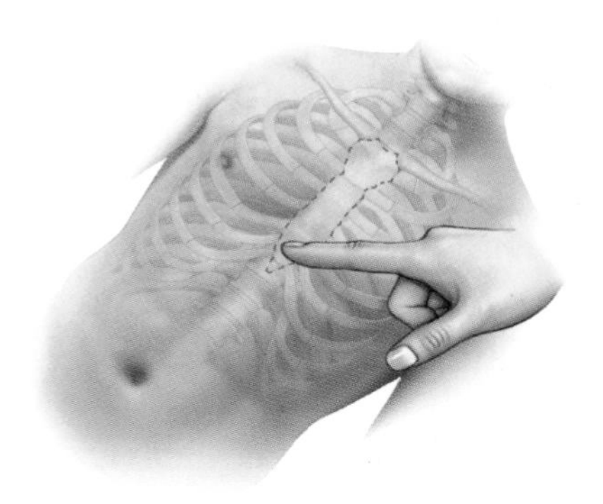

그림 36. **성인과 소아에서의 가슴압박 위치**

6) 가슴압박 할 때 큰 소리로 숫자 세기

교육생에게 가슴압박을 할 때 숫자를 큰 소리로 세도록 한다. 숫자는 '하나, 둘, 셋, . . . 열, 열하나, 열둘, 열셋 . . . 스물, 스물하나, 스물둘, 스물셋, . . 스물아홉, 서른'으로 세도록 한다. 동영상의 숫자 위의 'X 1'은 가슴압박 30회의 주기를 의미한다(그림 37).

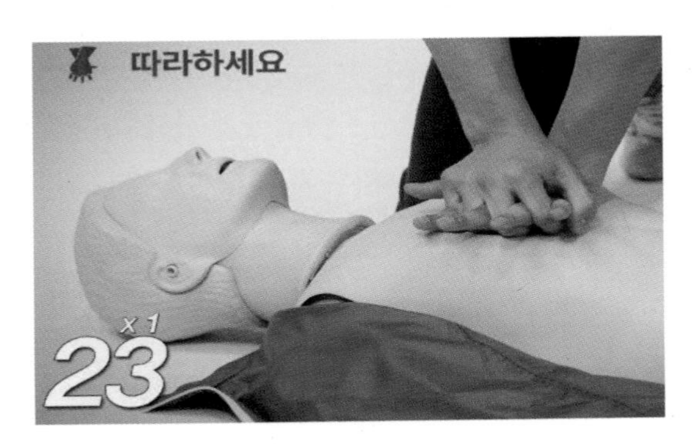

그림 37. **숫자를 세면서 가슴압박 하기**

7) 인공호흡을 할 때 가슴이 부풀어 오르는지 확인

입-입 인공호흡으로 숨을 불어넣으면서 동시에 눈은 마네킹의 가슴을 보도록 하여, 인공호흡 동안에 가슴이 올라오는지 관찰하도록 지도한다(그림 38).

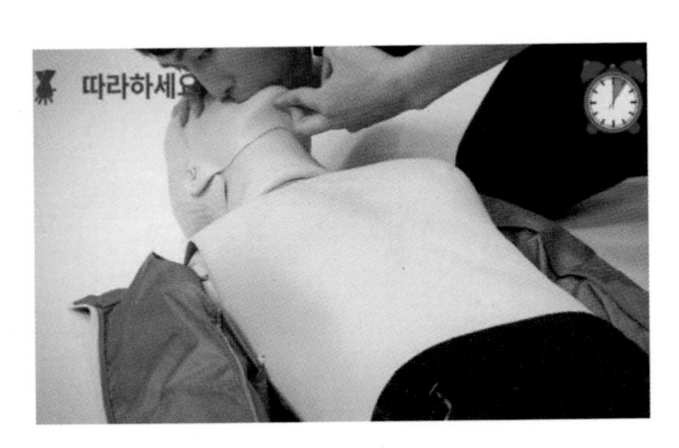

그림 38. **마네킹의 가슴이 올라오는지 쳐다보면서 인공호흡**

8) 성인 기도폐쇄

구조자의 한 다리를 뻗어서 기도폐쇄 환자의 다리에 닿아서 지지하도록 지도하면서, 기도폐쇄 환자가 갑자기 쓰러질 때 손상을 예방하기 위한 방법이라고 설명한다.

9) 인공호흡용 보호비닐 사용법

인공호흡용 보호비닐은 교육생마다 개별적으로 사용하도록 하고 한쪽 면을 정해서 인공호흡 할 때 계속 사용하도록 지도한다.

cardiopulmonary resuscitation

Chapter 05

일반인 심폐소생술 교육 과정 준비 단계

교육 목표

1. 일반인 심폐소생술 교육의 확대 필요성
2. 대한심폐소생협회 '일반인 심폐소생술 교육'의 목적
3. '보면서 따라하기' 교육의 특징과 주의사항
4. '일반인 심폐소생술 교육 과정'에서 강사의 역할
5. 마네킹 및 교육용 자동심장충격기:교육생의 비율
6. 강사:교육생의 비율
7. 바람직한 심폐소생술 교육실의 요건과 배치
8. 교육과정 전에 안내 편지의 필수 내용 및 그 중요성
9. 교육과정 전의 준비시기별 점검사항

1 일반인 심폐소생술 교육의 목적

1) 일반인 심폐소생술 교육의 필요성

우리나라의 생활 양식이 서구화되면서 급성관상동맥질환과 병원밖 심장정지 환자의 수가 급격히 증가하고 있다. 심장정지 환자가 발생하였을 때, 당황한 목격자가 119 구급대에 신고하기까지 머뭇거리는 시간이 약 5분이 소요되

고, 119 구급대가 신고를 접수한 후 현장에 도착하기까지 평균 8분이 소요된다. 그러므로 119 대원에게만 의존한다면 심장정지 발생 후 최소 8-13분이 지나서 119 구급대원에 의한 심폐소생술이 시작될 수 있다. 이런 상황에서는 의학적으로 볼 때 소생 가능성은 20% 미만에 불과하며, 소생되어도 환자는 뇌손상이 심한 상태로 살게 될 것이다. 그러나, 심장정지 환자의 생존율을 높이기 위하여 현재의 119 구급대의 반응 시간을 더 줄이는 것은 매우 어려운 일이며 국가적으로 비용이 많이 드는 문제이다.

따라서, 심폐소생술을 교육받아 수행할 수 있다면, 심장정지 환자를 발견한 목격 후 즉시 119에 신고하고, 구급대가 도착할 때까지 심폐소생술을 지속할 수 있을 것이다. 또한 최근에는 자동심장충격기를 다중 이용 시설들에 설치하는 사업이 활발히 진행되고 있어, 충분한 숫자의 자동심장충격기가 설치되고 있고, 119 구급대가 도착하기 전이라도 일반인이 3분 이내에 자동심장충격기를 사용할 수 있다. 우리나라의 병원밖 심장정지 환자에서 2019년 통계에 따르면 대도시 지역은 약 13% 정도 생존하나, 지역별 편차가 심하여 최저 생존율은 5.8%를 보이고 있다. 또한 일상생활이 가능할 정도로 뇌기능이 회복된 환자는 5.4%를 보이고 있다.

만일 우리나라 국민의 대다수가 교육을 받아서 심장정지 환자를 발견할 때 1분 이내 고품질의 심폐소생술을 제공하고 3분 이내에 심장충격을 시행하며 8분 이내에 119 구급대원에 의해서 병원으로 이송된다면, 우리나라 심장정지 환자의 생존율이 적어도 30% 이상이 되고, 소생후 스스로 일상 생활이 가능한 정도의 뇌 기능으로 회복되는 환자가 더욱 많아질 것이다.

2) 대한심폐소생협회 일반인 심폐소생술 교육의 목적

① Why? : 우리나라 병원밖 심장정지 환자의 생존율을 높이고 생존자를 더 온전한 상태로 회복시키기 위하여

② Who? : 이 교육 과정에 참여한 일반인이, 병원밖에서 발견한 심장정지 환자에게

③ What? : '고품질의 심폐소생술'과 '효과적인 자동심장충격기 사용법'을

④ When? : 환자 발견 후 1분 이내에 시작하여 119 구급대원을 포함한 전문 의료인이 도착하기 전까지

⑤ Where? : 환자를 발견한 현장에서

⑥ How? : 망설임 없이 자신감을 가지고, 능숙하고 고품질로, 교육 과정을 마친 후에도 오랜 기간 동안 시행할 수 있게 교육한다.

심폐소생술 교육 과정을 수료한 교육생이 실제 심장정지 환자를 발견했을 때, 신속히 심폐소생술을 시작하지 않거나 못한다면, 그 심폐소생술 교육은 효과적이지 못한 것이다. 대한심폐소생협회 일반인 심폐소생술 교육 과정은 실제 상황에서 효과가 있는 실질적인 교육을 지향한다.

2 일반인 심폐소생술 교육 과정의 내용

일반인 심폐소생술 교육 과정에는 다음의 요소가 반드시 포함되어야 한다:

① 응급의료에 관한 법률 제5조의2(선의의 응급의료에 대한 면책)의 설명
② 생존환경 및 생존사슬의 개념: 신속한 목격자 소생술의 중요성
③ 심폐소생술 교육과 관련된 개인 및 환경 위험요소에 대한 주의
④ 심폐소생술 교육 및 심폐소생술의 안전성과 위험요소
⑤ 심장정지 환자의 인지 방법: 반응 확인, 호흡 평가, 심장정지의 임상양상
⑥ 고품질의 가슴압박: 속도, 깊이, 위치, 완전이완, 가슴압박 중단 최소화
⑦ 인공호흡: 속도, 일회 호흡량, 인공호흡을 반드시 해야 하는 심장정지 상황 등
⑧ 가슴압박 소생술: 가슴압박 소생술을 할 수 있는 적절한 상황과 부적절한 상황
⑨ 심폐소생술 피드백 장치의 활용법
⑩ 자동심장충격기 사용법: 사용법 및 심장충격 가능 리듬과 심장충격 불가능 리듬에 대한 설명
⑪ 평가시험: 지식보다 술기평가 위주
⑫ 소생술 술기 수행능력을 유지하는 방법: 수행능력의 빠른 감퇴 현상의 설명, 반복적인 교육의 중요성 강조

3 일반인 심폐소생술 교육 과정의 특징

1) 보면서 따라하기(PWW: practice while watching) 형식

이 교육 과정은 전 과정이 동영상으로 제작되어 있으며, 대개 성인용과 영아용으로 구분되어 있다. 동영상이 나오는 모니터 또는 스크린의 화면을 보면서 동영상에 나오는 강사가 시행하는 심폐소생술을 관찰한 다음, 동영상 속의 강사를 보면서 동일한 술기를 1-3회 정도 따라서 연습하면서 익히는 방식으로 진행한다. 이를 '보면서 따라하기(PWW: practice while watching)' 형식이라고 말한다(그림 39).

보면서 따라하기 형식의 교육은 강의식 교육보다 교육 효과가 월등히 높을 뿐만 아니라, 교육 과정의 틀을 일정하게 유지하는 데 도움이 된다. 표준화된 교육 내용, 동일한 술기 품질, 동일한 실기 연습 시간 등을 보장함으로써 강사가 변경되거나 교육 대상의 수준이 다르더라도 일관된 교육 품질을 제공할 수 있게 해 준다. 보면서 따라하기 형식은 이 교육 과정에 참여하는 모든 교육생이 동일한 품질의 교육을 받을 수 있도록 해주는 것이다. 또한 교육 과정의 강사에게도 도움이 된다. 강사가 개입하는 부분이 거의 없고 교육 일정 관리는 동영상을 따라 하기만 하면 되기 때문에 부담이 줄고 오로지 교육 과정 중에 교육생에게만 집중하여 질의응답과 피드백을 하면 되므로 더 효과적이다.

그림 39. **'보면서 따라하기(PWW)' 형식의 심폐소생술 교육**

2) 보면서 따라하기 형식 교육 과정을 진행할 때 주의할 사항

강사는 보면서 따라하기 형식의 장점을 최대한 살릴 수 있도록 교육 과정 중에 강사 자신이 개입하는 경우를 최소화해야 한다. 일반적으로 다음의 권장사항을 따르는 것이 좋다:

① 교육생이 동영상 화면에 집중하게 해야 한다. "주목하세요"라는 지시문이 나올 때는 동영상의 내용을 집중하여 보게 해야 한다. 그동안 강사가 설명을 하거나 질문을 해서는 안 되며 동영상에 집중하지 않고 있는 교육생의 주목을 화면 쪽으로 돌려야 한다.

② "따라하세요"라는 지시문이 나올 때는 교육생이 동영상의 강사를 따라서 실습하도록 해야 한다. 이때도 강사가 '보면서 따라하기'를 중단시키고 강사 자신만의 방법을 교육하거나 설명을 해서는 안 된다. 교육생이 여러 번 해 본 술기이고 자신이 잘 할 수 있다고 생각하여 따라하지 않고 휴식을 취하는 경우가 종종 발생하는데 강사는 이를 허용해서는 안 된다. 예를 들면, 가슴압박 30회 시행하는 술기를 전체 과정 중에 10회 이상 반복하게 된다. 교육생은 교육 과정을 마치면 별도의 복습 과정이 없이도 고품질의 가슴압박을 시행할 수 있어야 한다.

③ 교육생이 보면서 따라하기를 시행할 때, 강사는 교육생의 술기의 품질을 면밀히 관찰하면서 피드백 해 주어야 한다. 이때 건설적인 피드백이 중요하다. 먼저 교육생이 잘 하는 점을 부각시켜 격려를 한 후, 부족한 점에 대한 교정을 시도한다. 예를 들면, "압박 깊이는 5 cm가 넘고 일정해서 매우 잘 하고 있습니다. 그런데 압박 속도는 현재 88회/분 정도 되네요. 조금만 더 110회/분 정도로 더 빨리 해보세요."라는 식이다. 단, 피드백을 할 때에도 가능하면 술기 연습을 중단시키지 않도록 하는 것이 좋다.

④ 지식 습득이나 술기 체득이 부족한 교육생에 대한 보충 교육은 연습 시간이나 휴식 시간을 이용하도록 한다.

⑤ 강사는 심폐소생술 교육 과정이 일정한 수준에 도달한 교육생을 선발하

려는 교육 과정이 아니라 참여한 모든 교육생을 모두 통과시키기 위한 교육 과정임을 인식해야 한다. 따라서 술기가 떨어지는 교육생에 관심을 집중해야 하며 여러 번의 재교육을 통해서라도 술기 시험을 통과하도록 도와주어야 한다. 시간이 날 때마다 실습, 실습, 또 실습을 하게 한다.

4 일반인 기본 심폐소생술 교육 과정의 강사

1) 강사의 요건

일반인 심폐소생술 교육 과정의 강사가 되기 위해서는 다음의 요건을 모두 갖추어야 한다:

① 대한심폐소생협회의 의료제공자 심폐소생술(AHA HCP BLS provider, KBLS provider) 교육 과정 또는 일반인 심폐소생술 심화교육 과정을 수료한 후

② 대한심폐소생협회의 의료제공자 심폐소생술 강사(AHA HCP BLS instructor, KBLS Instructor) 교육 과정(모니터 과정 포함) 또는 일반인 심폐소생술 강사 과정을 수료해야 한다.

2) 일반인 심폐소생술 교육 과정에서 강사의 역할

일반인 심폐소생술 교육 과정의 강사는 일반인 심폐소생술 교육 과정을 운영하면서 다음과 같은 역할을 수행해야 한다:

① 교육생이 교육 동영상에 집중할 수 있게 도와준다.

② 교육생이 보면서 따라하기를 충실히 수행하도록 도와준다.

③ 교육생의 질문에 대해서 시기 적절하게 정확한 답변을 제공한다.

④ 교육생의 술기 수행도를 관찰하여 효과적인 피드백을 제공한다.

⑤ 교육생의 술기 평가 시험을 주관한다.
⑥ 필요할 경우 교육생에게 재교육을 실시한다.
⑦ 교육 품질을 계속적으로 개선하기 위한 여러 품질 개선 활동에 참여한다.

3) 마네킹 및 교육용 자동심장충격기 사용 기준 – 교육장비:교육생 / 강사:교육생 비율

① 마네킹 및 교육용 자동심장충격기:교육생의 비율 = 1:3 이하

일반적으로 1:1, 즉 교육생 1인이 마네킹과 교육용 자동심장충격기를 1대씩 사용할 수 있으면 최적이겠으나, 우리나라의 현실에서 교육 시설이 제공할 수 있는 교육장의 크기와 마네킹 및 교육용 자동심장충격기의 보유대수를 감안하면 1:2 또는 1:3이 적절할 수 있다. 실제로 1:1로 하여 교육생이 계속 술기 연습만을 반복하는 것에 비하여, 1:2 또는 1:3으로 했을 때 다른 교육생의 술기 연습을 참관할 기회를 가짐으로써 교육생이 얻는 부가적 교육적 효과도 상당하다. 쉬면서 다른 사람이 하는 것을 보면서 자신의 술기를 가다듬는 계기로 활용할 수 있기 때문이다. 또한, 1:4 이상의 비율은 불가하다.

② 강사:교육생의 비율 = 1:10 이하(심화과정), 1:30 이하(기초과정)

일반인 심폐소생술 심화과정에서는 강사 1인이 교육생을 10인 이하까지 담당해야 하며, 기초과정에서는 강사 1인이 교육생을 30인 이하까지 담당한다. 교육 경험이 많은 의료제공자 AHA BLS 강사 또는 KBLS 강사는 더 많은 교육생을 담당해도 괜찮을 것이라는 주장도 있지만, 강사가 3개 조보다 더 많은 심폐소생술 실습을 동시에 모니터링하고 피드백하는 것은 무리이며 교육의 품질 저하가 수반될 수 있다. 따라서 1명의 강사는 3개 조(1개 조는 최대 3인으로 볼 때 최대 9인의 교육생)까지 담당하는 것을 권장한다.

5 교육 과정 전 점검 사항

1) 계획된 교육 과정의 공지

강사는 자신이 소속된 교육기관(TS: training site)의 교육 일정을 미리 계획적으로 결정하여, 적절한 방법으로 공지하는 것이 좋다. 예를 들면, 3개월치 교육 일정을 결정하여 최소한 2주 전에, 가능하면 1-3개월 전에 교육기관의 인터넷 홈페이지나 대한심폐소생협회 홈페이지를 통해 공개하는 방식이 권장된다. 그럼으로써 일상에 바쁜 일반인이 시간 계획을 보고 일정에 맞추어 교육 과정에 참여할 계획을 수립할 수 있다. 교육 일정에는 날짜, 시간, 교육장 장소, 교육생 모집 수 및 교육 책임자의 연락처가 반드시 포함되어 있어야 한다(그림 40).

교육과정에 신청한 교육생 수가 적을 때 과정을 취소해야 하는 경우가 있음을 '신청자가 0명 이하인 경우 과정이 취소될 수 있습니다'와 같이 공지문에 미리 알리고, 취소 결정과 알림은 교육일보다 일주일 전에는 한다.

이렇게 계획되어 공지된 교육 일정은 천재지변과 같은 어려움이 발생하지 않는 한 절대로 변경해서는 안 된다. 불가피하게 변경해야 할 사유가 발생한 경우에는 즉시 이 사실을 재공지 해야 하며 교육 신청자에게는 개별적으로 이메일과 전화를 통하여 변경 내용과 이유를 확실하게 통보해야 한다.

2) 교육 신청의 접수

특별한 이유가 발생하지 않는 한, 교육 신청의 접수 순서에 따라 교육생을 선정한다. 교육 신청자의 수가 교육생 모집 정원을 초과하는 경우에는 다음과 같은 방식으로 대처할 수 있다:

① 초과된 수가 1회의 교육 과정의 교육생 모집 수에 근접하면, 추가로 교육 과정을 더 열어서 교육생의 수요를 빠르게 해소하는 것이 가장 좋다.

② 초과된 수가 적으면, 예정되어 있는 다음 번 교육 과정에 우선적으로 배

일반인 심폐소생술 심화 교육과정

일반인 심폐소생술 교육기관인 ○○○에서는 아래와 같이 일반인을 위한 심폐소생술 교육을 실시합니다. 교육은 표준 교육 프로그램(동영상)과 마네킹, 교육용 자동심장충격기를 사용한 실습으로 이루어집니다.

1. 일시 : 20　　년　월　일　00:00
2. 장소 :
3. 강사 :
4. 등록비 :
5. 신청방법 :
   ※ 단, 신청자가 0명 이하인 경우 과정이 취소될 수 있습니다.

6. 프로그램(심화과정)

교육과정	방법	시간(분)
교육과정 및 강사 소개	설명	5
심장정지 예방 목격자 심폐소생술의 중요성 선의의 응급의료에 대한 면책	동영상 시청	12
현장 안전 확인, 심장정지 인지, 호흡확인	보면서 따라하기	6
전화도움 심폐소생술		6
가슴압박과 인공호흡		20
심폐소생술 전체과정 실습		20
소아 심폐소생술		8
자동심장충격기 소개 및 실습	실습	15
성인 심폐소생술과 자동심장충격기 전체 실습		20
휴식		10
영아 심폐소생술	따라하기	5
이물질에 의한 기도폐쇄(성인/소아/영아)	실습	15
생존환경 및 생존사슬	동영상 시청	3
술기평가(심폐소생술, 자동심장충격기)	평가	30
과정 종료 및 질의응답		5

7. 교육 당일에 대한 안내
- 교육 당일은 교육 시작 20분 전부터 출석 서명을 시작합니다.
- 교육은 매트 위에서 실습이 이루어지므로 편하고 단정한 복장으로 오십시오.
- 교육 당일에 별도의 준비물은 없습니다.
- 기타 문의 사항은 e-mail(000@000.com) 또는 전화(00-000-0000)로 하여 주십시오.

일반인 심폐소생술 교육기관 ○○○○

그림 40. **일반인 심폐소생술 심화 교육과정 공지문**

정하여 가능한 신속히 교육을 받을 수 있도록 배려한다.

③ 신청한 교육생의 특성을 확인하고 참가 동기와 교육 수준을 고려하여 조정 가능한 범위 안에서 동일한 교육 과정에 비슷한 교육생을 같이 교육받도록 배려할 수도 있다. 단, 이 경우 접수 순서와 다르게 교육 순번이 밀리게 된 교육생의 동의가 전제되어야 한다.

비슷한 수준과 특성의 교육생을 같이 교육하면, 교육의 특성에 맞는 교육을 시행할 수 있어서 교육 효과가 더 높아진다.

단체가 교육 신청을 한 경우에는, 단체 구성원의 특성을 정확히 파악하여 그 특성에 맞는 교육을 진행함으로써 최적화된 교육으로 최고의 교육 효과를 얻도록 준비해야 한다. 또한 그 단체가 교육을 통해 특별히 원하는 목적이 있는지를 확인하고, 교육 신청 단체의 동기, 흥미, 그리고 필요성을 파악한다. 가능하면 단체의 대표자와 함께 교육 계획을 수립하면 좋은데, 효과적인 교육 내용과 교육 시간을 조정할 수 있다. 그러나 표준 교육 과정의 필수 규정, 내용, 최소 교육 시간 및 술기 평가시험을 임의로 조정하거나 제외하는 것은 어떤 경우에도 금기이다.

다음과 같은 단체가 교육 신청을 하였을 때, 단체별로 각각 어떠한 점을 특히 고려해야 하며 어떤 것을 특별히 준비해야 할 것인지 생각해 본다.

① 초등학교 학생
② 중·고등학교 학생
③ 대학교 학생
④ 산후조리원 직원/임산부
⑤ 어린이집·유치원 교사
⑥ 초·중·고등학교 교사
⑦ 병원 직원
⑧ 호스피스 시설 직원
⑨ 공공 다중이용 시설 근무자
⑩ 수상 안전요원
⑪ 경찰
⑫ 심장질환 환자 가족
⑬ 아파트 부녀회
⑭ 노인 단체
⑮ 군인

3) 교육장 점검 및 교육장 내 배치

교육장은 필요한 수의 마네킹과 교육용 자동심장충격기를 배치한 상태에서 모집된 수의 교육생과 강사가 편안함을 느끼면서 가르치고 배울 수 있을 정도로 넓어야 한다. 보면서 따라하기 형식의 교육이므로 반드시 충분한 크기의 스크린이 전면에 설치되어 있어야 하며, 기능이 양호한 음향 시설이 구비되어 있어야 한다. 이동식 탁자와 의자가 있으면 편리하지만, 매트리스만 깔고서도 교육은 가능하다.

바람직한 교육장의 요건으로서는 다음의 요소들이 포함된다:

① 충분히 넓은 면적
② 원활한 실내 환기
③ 쾌적한 실내 온도: 조절 기능이 있으면 더욱 좋음
④ 조절 가능한 조명: 동영상을 볼 때는 어둡게, 실기 연습을 할 때는 밝게
⑤ 성능이 좋은 음향 시설: 잡음과 울림이 없는지, 음량은 충분한지 확인
⑥ 성능이 좋은 영상 시설: 컴퓨터, 빔 프로젝터, 스크린 등
⑦ 위의 음향 및 영상 장비에 대한 원격 조정기
⑧ 충분한 크기와 수의 매트리스
⑨ 의자: 교육생 1인당 1개씩. 계속 바닥에 앉기가 불편한 교육생이 점점 증가함

교육장이 제대로 준비되어 있지 않으면 교육 과정 진행에 큰 차질이 생기게 되므로, 강사는 필히 사전에 교육장을 방문하여 위의 요건을 확인하여야 한다.

교육장 안에서의 교육생의 배열 및 배치는 교육의 성격에 따라 적절하게 조정할 수 있다. 몇 가지의 예를 들면 그림 A, B, C, D와 같다(그림 41).

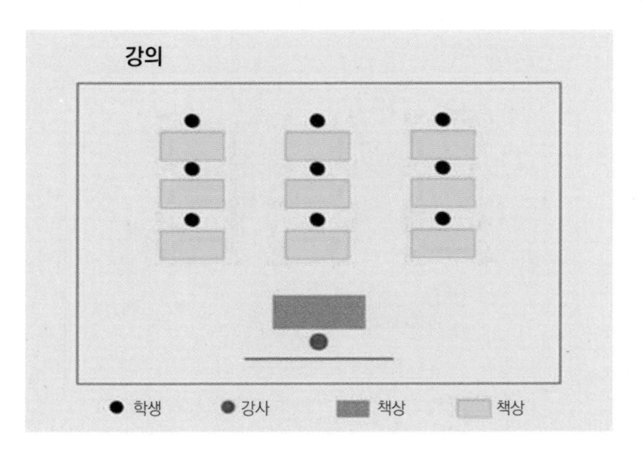

그림 41-A. **이론 강의식 교육에서의 교육장 안 교육생의 배열 및 배치**

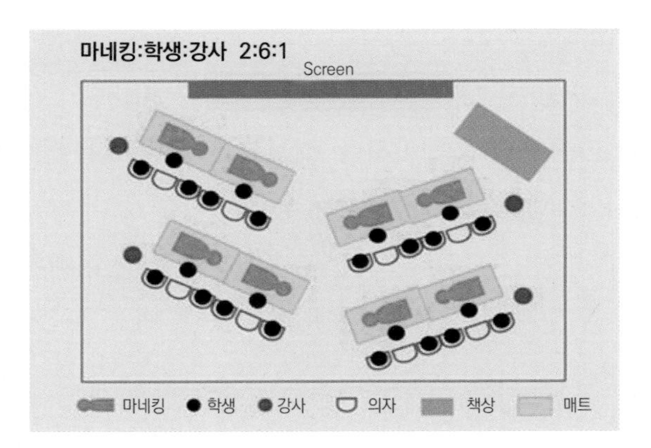

그림 41-B. **술기 실습식 교육에서의 교육장 안 교육생의 배열 및 배치**

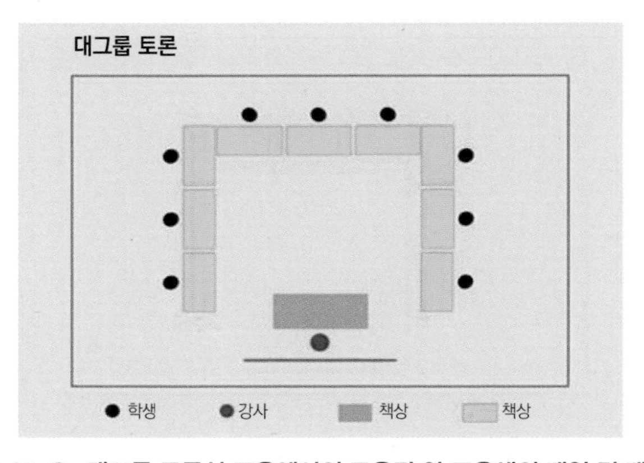

그림 41-C. **대그룹 토론식 교육에서의 교육장 안 교육생의 배열 및 배치**

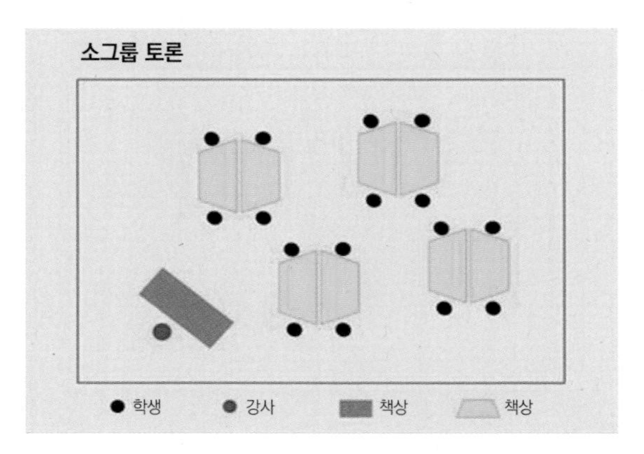

그림 41-D. **소그룹 토론식 교육에서의 교육장 안 교육생의 배열 및 배치**

4) 교육 과정 전의 안내 편지(pre-course letter)

강사는 이번 교육 과정에 참여하는 것으로 선정된 교육생에게 교육 과정의 최소한 1주일 전에 개별적으로 과정 전 안내편지를 보내어 교육 과정에 선정되었음을 알리고 교육 일시와 장소를 다시 구체적으로 안내하며 사전 예습을 해 오고 준비물을 챙겨서 오도록 당부해야 한다. 다음의 과정 전 안내 편지 예문을 참조한다:

Tip 교육 과정 전 편지의 예

홍길동님께,

〈환영의 인사 및 강사 소개〉

안녕하십니까? 저는 이번 '일반인 심폐소생술 교육 과정'을 맡은 강사 (김대한)입니다. 바쁘신 중에도 저희 일반인 심폐소생술 교육에 참여해 주셔서 대단히 감사합니다. 저희 강사들은 귀하를 진심으로 환영합니다.

〈일시 및 장소 안내〉

귀하께서 등록하신 심폐소생술 교육은 다음의 일시와 장소에서 시행될 것입니다:

- 일시: 2021년 02월 26일(금) 13시-16시
- 장소: 서울특별시 송파구 법원로 127, 대명벨리온 지식산업센터 908호

〈준비물 및 주의 사항 안내〉

교육에 참여하시는 교육생 여러분은 다음의 준비물을 반드시 챙겨서 교육장에 들어오셔야 원활한 교육이 이루어질 수 있습니다:

1. 교재 및 사전 예습: 이 심폐소생술 교육 과정에서는 많은 내용을 짧은 시간 안에 전달해야 합니다. 더구나 여러분이 생소한 의학적 사전 지식과 용어가 들어 있습니다. 따라서 사전에 '일반인 심폐소생술 교육 교재'를 미리 구입하셔서 그 내용을 충분히 읽어보신 후에 교육에 참여하셔야 합니다. 교재는 교육 당일 반드시 지참해 주시기 바랍니다. 사전 예습을 해오시면 여러분이 교육 과정을 통해 더 많은 것을 더 확실하게 배우실 수 있을 것입니다.
2. 복장 및 신발: 심폐소생술 실습에는 바닥에 꿇어앉고, 허리를 구부리고, 손과 팔을 격렬하게 움직이는 동작이 많이 포함되어 있습니다. 따라서 느슨하고 편안한 복장을 하고 운동화를 신고 오시는 것이 좋습니다. 구부리거나 꿇어앉았을 때 신체의 노출이 발생하는 의복이나 굽이 높은 구두는 곤란합니다.
3. 개인적 특이 사항: 만일 격렬한 심폐소생술을 익히기에 곤란한 신체적 상황이 있으신 분은 미리 강사에게 알려 주시기 바랍니다. 강사는 가능한 귀하께서 교육에 참여하실 수 있도록 배려할 것입니다. 급성 감염성 질환이 있거나 특별한 알러지가 있으신 분도 역시 알려 주십시오.
4. 교육 시간 엄수: 교육이 시작되고 난 후에 교육장에 도착하신 분은 부득이하게도 교육에 참여하실 수 없습니다. 다음 번 교육에 참여하실 수 있게 배정해 드리겠습니다.
5. 교육 과정의 취소: 예기치 못한 사정으로 교육 참가를 취소해야 할 경우에는 최소한 교육 과정일 3일 전까지 알려주셔야 합니다. 취소하시더라도 구입하신 교재는 반품이 안 되며, 3일 전 이후에 알려주시면 교육비를 환불이 어렵다는 사실을 알려드립니다.

〈연락처 안내 및 끝인사〉

교육과 관련하여 추가적인 문의 사항이 있으시면 언제든지 (김소생 010-0000-XXXX, Fax: 02-0000-0000)에게로 문의해 주시기 바랍니다. 교육 당일에 즐거운 마음으로 뵙겠습니다. 감사합니다.

2021년 02월 19일 담당 강사 김대한 올림

5) 심폐소생술 교육 장비 및 소모품 목록 확인

강사는 교육 진행의 전체적인 책임을 진다. 사소한 준비 부족이 교육 진행을 방해하는 경우가 다수 발생하고 있다. 교육을 시작하기 전에 교육에 필요한 장비 및 소모품 목록 확인표를 가지고 준비 사항을 구체적으로 확인하는 것이 좋다. 다음의 표는 그러한 확인표의 예이다(표 7).

표 7. **교육에 필요한 교육 장비 및 소모품 목록**

수 량	물 품	확 인
교육생 1인당 1개 이상	술기 평가 체크리스트(심화 과정)	
	인공호흡용 보호 비닐(face shield)	
	일회용 장갑	
	교육생 이름표	
강사 1인당 1개 이상	일반인 심폐소생술 교육 과정 일정표	
	일반인 심폐소생술 교재	
	일반인 심폐소생술 교육 과정 강사용 교재	
	일반인 심폐소생술 교육 과정 강사증	
	강사 이름표	
	초시계	
	교육용 자동심장충격기와 성인용 패드	
교육생 3명당 1대	마네킹	
	교육용 자동심장충격기	
교육 과정당 1개 이상	TV, PC , 프로젝터, 스크린, 마이크 및 오디오	
	일반인 기본 심폐소생술 교육 과정 동영상	
	강사/교육생 서명지	
	조편성	
	마네킹 청소 도구(알코올 패드 등)	

6) 교육 전 준비 시기별 점검사항

① 교육 1주 전

- 교육 계획서와 강사용 교육 자료를 확인하고 사용 연습을 한다.
  - 강사로서 수행해야 할 역할을 잘 숙지하여 교육 과정 첫 5분을 능숙하게 진행하면 강사에 대한 신뢰도를 높인다. 경험이 적은 강사는 불안감에서 비롯된 실수를 줄이기 위해 교육 과정 첫 5분간의 역할을 잘 기억해 두는 것이 중요하다. 일단 시작이 원활하게 되면, 불안감이 사라지면서 그 이후에는 준비해 둔 교육 계획에 적응하게 되어 교육 과정의 흐름을 무리 없이 찾게 될 것이다.
- 교육장 및 필요 장비의 규모를 계획할 수 있도록 등록된 교육생의 수를 확인한다.
- 교육장과 교육 장비를 예약하고 준비한다.
  - 교육에 임박하여 추가로 등록하거나 예상하지 못했던 등록자 1-2인을 위하여 여유 있게 준비하는 것이 좋다.
- 교육생에게 배포할 교재와 사용할 소모품이 충분히 주문되었는지 확인한다.

② 교육 1일 전

- 강사용 자료와 교육 동영상이 준비되었는지 확인한다.
- 교육 계획을 머릿속에서 리허설을 해 본다. 준비가 부족하거나 연습이 더 필요하다고 여겨지는 부분이 있으면 실제로 연습해 본다.
- 교육생의 최종 명단을 확인하여, 변경하거나 취소한 사람이 없는지 확인한다.
- 교육장의 사용 가능 상태를 확실히 확인한다.
  - 하루 전에 확인하여야 미비 사항이 발견될 때 보충하거나 대체할 수 있다. 교육 당일에 확인하는 것은 자칫 예기치 못한 미비 사항을 교정할 시간 여유가 없을 수 있다.

- 충분한 수면을 취한다. 강사의 나쁜 컨디션은 불량한 교육 품질과 직결된다. 전날 과로하거나 과음하는 것은 절대로 금기이다.

③ 교육 1시간 전

- 교육장에 도착하여 최종 준비 상태를 확인한다.
- 모든 교육 자료와 동영상을 확인하고, 교육 장비가 정상적으로 작동하는지를 재확인한다.
  - 영상 장비 및 음향 장비에 고장이 발생할 경우를 대비하여 대비책을 미리 마련해 두어야 한다.
- 강사용 자료를 적합한 장소에 배치한다.
- 다과와 음료수가 제대로 준비되었는지 확인하고 필요하면 보충한다.
- 일찍 도착하는 교육생을 맞이한다.

④ 교육 1분 전

- 교육장실 앞의 연단으로 이동하여 위치한다.
- 교육 시작 인사말을 머릿속으로 연습하고, 첫 5분 동안 해야 할 행동을 상기한다.
- 3회의 심호흡을 하고 미소를 짓는다.
  - 강사가 교육생에게 특별하고 좋은 교육 경험을 제공하고 싶은 것처럼 교육생도 강사를 기쁘게 하기를 원한다는 사실을 기억한다. 교육생의 얼굴을 한 번 둘러본다.
- 교육생에게 환영 인사를 시작하면서, 교육을 시작한다.

cardiopulmonary resuscitation

Chapter 06

일반인 심폐소생술 교육 과정 시행 단계

교육 목표

다음의 사항들을 충분히 이해하고 여러분이 참여하는 교육 과정에 적용하고 응용할 수 있어야 한다.

1. 교육을 시작할 때 강사가 해야 할 일을 안다.
2. 교육 중 효과적인 동기 유발 방법을 안다.
3. 보면서 따라하기 형식의 교육을 하면서 적절하게 피드백 하는 방법을 안다.
4. 효과적인 발표를 위한 요건을 5가지 이상 열거할 수 있다.
5. 효과적인 토론 촉진을 위한 요건을 3가지 이상 열거할 수 있다.
6. 술기평가의 필요성과 올바른 수행 방법을 설명한다.

1 교육 시작

1) 환영 인사와 소개하기

① 대표 강사의 환영 인사와 과정 소개

- 교육생들의 어색한 분위기와 긴장을 풀어주기 위해 밝은 모습으로 환영
- 교육 과정에 대한 소개: 프로그램, 시간 등
- 교육 중 주의사항과 화장실 등 편의시설 안내: 금연, 휴대전화 등

② 강사 및 교육생 소개

- 참여 강사 소개 및 교육생 격려
- 교육생 소개(이름, 소속, 동기 등)를 통해 교육 분위기 조성과 학습 동기 유발에 도움

2) 학습 동기 유발

교육의 효과를 위해서는 교육생들의 학습 동기 유발이 중요한데, 이는 교육 시작단계부터 적용하는 것이 필요하다. 교육 시작 전 교육생들의 특성과 배경, 교육 참여 동기를 파악할 수 있다면 교육 중 학습 동기를 유발하거나 유지하는 데 도움이 된다. 교육생들이 심폐소생술 교육을 받는 이유, 연령, 학력 및 직업 등의 특성에 맞는 적절한 방법으로 학습 동기를 자극해야 한다(그림 42). 이 교재의 '일반인 심폐소생술 강사'의 역할과 자질 편의 <교육생의 학습 동기 유발> 부분을 참고한다. 일반적으로 효과적인 동기 유발 방법으로는 다음과 같은 방법들이 있다:

① 실제 심장정지 환자 생존 사례를 소개

② 교육생의 경험, 배경 및 직업과 관련된 중요성을 강조

③ 다양한 교육 방법을 활용: 동영상, 토론, 실습 등

사회 > 사회일반

여중생이 골든타임 심폐소생술로 아버지 살려

| 조대여중 1학년 박○○양 "학교에서 배운대로"

등록 2020-07-15 09:59:29

[광주=뉴시스] 송창헌 기자 = 광주의 한 여중생이 학교에서 배운 심폐소생술(CPR)로 아버지를 신속히 구해 내 화제가 되고 있다.

15일 광주시교육청에 따르면 조선대학교 여자중학교 1학년 박○○(13)양이 최근 의식을 잃고 쓰러진 아버지를 심폐소생술로 구해냈다.

박양은 지난 6일 오전 7시45분께 동구 산수동 자택에서 아버지가 고통스러워하며 쓰러지자, 곧바로 119에 구조를 요청하고 심폐소생술을 실시했다.

당시 방안에 있던 박양은 아버지의 신음을 TV소리로 착각했으나 재차 들리자 곧바로 뛰어나와 거실에 쓰러진 아버지를 발견했다.

그리고는 아버지에게 다가가 가볍게 두드리며 "괜찮으시냐"고 반응을 확인한 뒤 큰 일이라고 판단하고는 지체없이 119에 구조를 요청했다.

박양은 이어 가슴 중앙인 흉골 아랫쪽에 두 손을 포갠 뒤 깍지를 낀 다음 체중을 실어 가슴을 압박했다. 극도의 불안감 속에서도 '아빠를 살려야 한다'며 흉부를 압박하길 수 백번. 구조대가 도착했고, 아버지는 인근 조선대병원 응급실로 옮겨졌다.

골든타임(5분) 안에 응급처치가 이뤄진 덕에 박양의 아버지는 72시간 만에 의식을 되찾아 생명을 지킬 수 있었다.

그림 42. **학습 동기 유발할 수 있는 신문 기사 내용** 〈출처 : 뉴시스〉

3) 조 편성과 교육 안내

① 조 편성

- 교육 시작 전 조 편성표 게시
- 교육생의 특성에 따라 편성: 성별, 나이, 직업 등
- 교육생 정보가 부족할 때는 자기소개 후 조 편성 또는 재조정
- 실습 조별 위치 안내 및 담당강사 배정

② **교육안내**

• 개인보호장비(PPE: personal protection equipment) 착용 안내
  - 일회용 장갑, 보호비닐(face shield) 사용법과 교육 후 처리 방법 설명
  - 교육 중 일회용 장갑을 반드시 착용하고 마네킹을 이용한 실습 안내
• 동영상을 사용한 보면서 따라하기 형식의 교육에 대한 안내
  - 화면에 '주목하세요'가 나오면 실습을 중지하고 동영상 보기
  - 화면에 '따라하세요'가 나오면 동영상을 보며 실습하기

2 교육 진행

1) 보면서 따라하기 동영상 활용

• 동영상을 보고 충실히 따라 하게 한다(그림 43).
• 동영상을 보고 있는 동안에는 동영상에 집중할 수 있게 방해하지 않는다.

그림 43. **동영상을 이용한 교육**

2) 충분한 실습 기회 제공

- 동영상 보면서 따라하기에서는 술기 연습 방해 금지
- 부족한 부분을 피드백하면서 교정하도록 연습 반복

3) 피드백을 통한 격려와 교정

- 먼저 교육생이 잘 한 부분을 칭찬한 다음, 교정할 사항을 피드백
- 건설적인 피드백은 자신감을 높이고, 부정적인 피드백은 수치심과 좌절감을 유발 가능
- 강사의 시연이 필요한 피드백은 휴식 시간 또는 연습 시간을 이용
- 교육생을 '가르친다'기보다는 '스스로 배우는 것을 도와준다'고 생각

4) 질문하기

- 적절한 질문을 통해 교육생의 이해도를 확인하고, 교육생 스스로 생각하게 하며, 또한 집중하지 않는 교육생을 참여시키기
- 질문은 단답식 답변보다는 설명식 답변을 요구
- 교육생이 강사에게 한 질문을 다른 교육생에게 되물어 볼 수도 있다.

3 효과적으로 발표하기(presentation)

강사가 어떤 교육 내용을 전달할 때 교육생들이 이해하기 쉽도록 효과적인 방법을 사용해야 한다. 효과적인 발표를 하는 데 필요한 요건은 다음과 같다:

① 발표하는 내용과 발표 자체에 대한 열정

② 자신이 발표하는 내용과 관련 사항 정확히 알기
③ 교육생이 쉽게 이해할 수 있는 용어와 문체 사용
④ 꼭 알아야 할 중요한 내용은 여러 번 반복해서 전달
⑤ 중요한 내용은 큰 목소리로 강조하거나, 발표 전·후에 잠시 멈추는 것도 효과적
⑥ 다양한 높낮이의 음성과 유머, 자세와 동작, 진행 속도, 교육생과의 거리 등을 활용하여 지루하지 않게 발표
⑦ 강사-교육생 신뢰관계(rapport) 형성
- 일부 또는 한 명의 교육생에게만 눈 맞춤을 집중시키거나 질문을 하지 말고, 골고루 시선을 배분하여 친근감 표시
- 가능하면 교육생의 이름을 기억하여 불러주며, 잘 하는 부분을 적극 칭찬
- 강사가 교육에 대한 자신감과 열정을 보여야 교육생도 성실히 교육에 참여

4 효과적으로 촉진하기(facilitation)

'촉진하기'란 교육 내용을 더 효과적으로 배울 수 있도록 장려하고 자극함으로써 교육생들의 학습 능력이 더 높아지도록 도와주는 행동들을 말한다. 일반적으로 학생들의 열띤 참여가 수반되는 토론식 교육을 시행할 때 강사가 해야 하는 역할을 말한다(그림 44).

강사가 적절한 촉진하기를 수행하려면 다음의 요건들이 필요하다.
① 교육생들의 요구와 관심사항 파악
② 교육생들의 반응을 면밀히 관찰하여 교육 내용을 이해하고 있는지를 확인
③ 토론에 많이 관여하지 않기
④ 토론이 주제를 벗어나거나 진행이 느릴 때 개입하여 방향 제시
⑤ 자유로운 토론을 보장하되, 토론 시간의 적절한 배분

그림 44. **토론식 교육의 모습**

5 휴식 시간

1) 적절한 휴식을 통한 집중력 유지와 피로 예방
2) 술기가 부족한 교육생에 대한 피드백을 휴식시간의 1/2 정도 안에서 실시

6 평가

1) 교육생에 대한 술기 평가

일반인 심폐소생술 교육 중 심화과정은 반드시 심폐소생술 술기 평가를 실시해야 한다. 평가는 단순히 합격과 불합격을 결정하는 판정 도구만이 아니라, 교육생에게 학습 동기를 자극하는 교육 방법론의 하나이다. 강사들은 평가의 중요성을 잘 인식하고 정확한 평가 기준을 엄격하게 적용해야 한다.

① 술기 평가 전

- 평가시험 방법에 대한 안내를 한다.
- 교육생이 충분한 술기 연습을 할 수 있도록 시간을 배정한다.
- 주요 평가 기준을 다시 한 번 정리하여 강조한다.
- 교육생들에게 부담을 주지 않게 주의하고 긴장을 풀어준다.
- 실제 상황과 최대한 유사한 환경과 시나리오를 준비한다.
- 강사 자신과 개인적인 관계가 밀접한 교육생에 대한 평가는 다른 강사에게 의뢰한다.

② 술기 평가 중

- 평가표에 표시하면서 정확하고 공정하게 평가한다(그림 45, 46).
- 평가 중에는 힌트를 주거나 조언을 하는 등의 방해를 하지 않도록 한다.
- 평가 중에 교육생이 수치심을 느끼지 않도록 배려한다.

③ 술기 평가 후

- 결과를 알려줄 때 건설적인 피드백을 한다.
- 이후 틀린 부분에 대한 정확한 술기 방법을 구체적으로 알려준다.
- 필요하면 재교육을 실시하고, 추가 연습 시간을 배려한다.
- 재평가의 시간과 중요사항을 안내한다.
- 개인의 프라이버시를 존중해 준다.

2) 교육 과정에 대한 품질 평가

교육 과정이 완료되는 시점에서 교육 과정 자체의 품질에 대한 평가를 시행한다. 강사의 시각에서 교육 과정의 충실도와 완성도, 재교육 교육생의 수, 학습 부진자의 원인 등을 정리하고 분석한다. 또한 교육생의 시각에서 교육 과정에 대한 만족도 즉, 교육 교재 및 동영상의 유용성, 강사들의 능력과 열정, 교육장의 준비 상황, 음향/영상 장비의 품질 등에 대해서 조사한다.

① 교육생들의 설문지 작성

교육 과정에 대한 만족도를 조사하여 설문지와 기타 의견에 나타난 평가들을 분석하여, 이후 교육 과정의 품질을 개선하는 데 활용한다.

② 강사들의 정리 회의

교육 과정이 완료되고 교육생들이 교육장을 떠난 후, 교육에 참여한 모든 강사들이 모여 이번 교육 과정에 대한 자체적인 평가 회의를 한다. 교육 과정 중에 일어난 잘된 점과 잘못된 점들을 토론하고 정리하고 같이 공유한다.

③ 강사들의 개인 노트 기록

교육 과정에 참여한 후 강사들은 자신의 수행능력을 평가하고 잘한 점과 잘못한 점들을 정리하여 기록하는 것은 자기 발전에 많은 도움이 된다. 교육 과정 중에 맞닥뜨렸던 곤란했던 상황이나 대답하기 어려웠던 질문들도 기록해 두었다가 경험이 많은 선임 강사에게 그 해결방법이나 정확한 해답을 찾아서 같이 기록해 두면 같은 실수를 반복하지 않을 수 있다.

성인 심폐소생술 및 자동심장충격기 술기평가지

평가 날짜: ______ 년 ___ 월 ___ 일　　　　교육생 이름: ____________

단계	단계별 핵심 수행 술기	☑ 바르게 수행
※	현장 안전 확인	
1	반응 확인	
2	119 신고 및 자동심장충격기 요청	
3	호흡상태 확인	
4	가슴압박 30회 시행 (가슴뼈 아래쪽 절반부위, 15-18초 동안, 약 5 cm 깊이, 완전히 이완)	
5	기도를 열고 인공호흡 2회 시행 (머리기울임-턱들어올리기, 가슴이 올라올 정도, 10초 이내)	
6	가슴압박 30회 시행 (가슴뼈 아래쪽 절반부위, 15-18초 동안, 약 5 cm 깊이, 완전히 이완)	
7	기도를 열고 인공호흡 2회 시행 (머리기울임-턱들어올리기, 가슴이 올라올 정도, 10초 이내)	
8	가슴압박 30회 시행 (가슴뼈 아래쪽 절반부위, 15-18초 동안, 약 5 cm 깊이, 완전히 이완)	
9	기도를 열고 인공호흡 2회 시행 (머리기울임-턱들어올리기, 가슴이 올라올 정도, 10초 이내)	
10	두 번째 교육생에게 가슴압박 요청 (자동심장충격기 적용 중에 지속적인 가슴압박 요청)	
11	자동심장충격기의 전원을 켬	
12	두 개의 패드를 정확한 위치에 부착 (오른쪽 빗장뼈 아래, 왼쪽 젖꼭지 아래 중간겨드랑이선)	
13	심장리듬 분석을 위해 손을 떼도록 지시 (말과 동작을 모두 사용하여 시행)	
14	분석 종료 직후 지속적인 가슴압박 요청	
15	심장충격 시행 직전 손을 떼도록 지시 (말과 동작을 모두 사용하여 시행)	
16	심장충격 시행 직후 즉시 가슴압박 다시 시작	

평가 결과: 합격 / 재교육　　　　강사 이름/서명: ____________

그림 45. **성인 심폐소생술 및 자동심장충격기 술기평가지**

영아 심폐소생술 술기평가지

평가 날짜: ______ 년 ___ 월 ___ 일　　　　교육생 이름: ______________

단계	단계별 핵심 수행 술기	☑ 바르게 수행
※	현장 안전 확인	
1	반응 확인	
2	119 신고 및 자동심장충격기 요청	
3	호흡상태 확인	
4	가슴압박 30회 시행 (젖꼭지 연결선 바로 아래의 가슴뼈를 두 손가락으로 압박, 15-18초 동안, 약 4 cm 깊이, 완전히 이완)	
5	기도를 열고 인공호흡 2회 시행 (머리기울임-턱들어올리기, 가슴이 올라올 정도, 10초 이내)	
6	가슴압박 30회 시행 (젖꼭지 연결선 바로 아래의 가슴뼈를 두 손가락으로 압박, 15-18초 동안, 약 4 cm 깊이, 완전히 이완)	
7	기도를 열고 인공호흡 2회 시행 (머리기울임-턱들어올리기, 가슴이 올라올 정도, 10초 이내)	
8	가슴압박 30회 시행 (젖꼭지 연결선 바로 아래의 가슴뼈를 두 손가락으로 압박, 15-18초 동안, 약 4 cm 깊이, 완전히 이완	
9	기도를 열고 인공호흡 2회 시행 (머리기울임-턱들어올리기, 가슴이 올라올 정도, 10초 이내)	

평가 결과: 합격 / 재교육　　　　강사 이름/서명: ______________

그림 46. **영아 심폐소생술 술기평가지**

7 교육 과정 중에 발생하는 문제점들과 그 해결 방안

1) 과정 중에 발생할 수 있는 다양한 문제점들

① 교육 장비의 고장

- 음향 및 영상 장비가 작동되지 않는 경우
- 마네킹이 제대로 작동하지 않는 경우(예, 가슴이 올라오지 않는다.)

② 교육생의 곤란한 질문

- 자신이 모르는 내용에 대한 질문을 받았을 때
- 현재 진행 중인 교육 내용과 무관한 질문을 받았을 때
- 전혀 무관한 질문(예, 사적인 질문)이나 전혀 비논리적인 질문을 받았을 때

③ 교육생 관리와 관련한 문제

- 교육 과정이 시작되고 난 후 뒤늦게 도착한 교육생이 교육 참여를 요구할 때
- 교육 분위기를 해치는 교육생(예, 큰 소리로 잡담)이 있어 주의를 주어도 계속할 때
- 몸이 불편한 교육생(손목이나 다리를 다쳤거나, 허리가 아픈 경우)이 있는 경우
- 감염성 질환이 있는 교육생이 있는 경우
- 미리 조를 편성하였는데 다른 조로 편성해 달라고 요구하는 교육생이 있을 때

2) 위의 문제점들에 대한 해결 방안

① 교육 장비의 고장

- 음향 및 영상 장비가 작동되지 않는 경우
  - 예비용 장비(노트북, 스피커, 빔프로젝터, USB메모리 등)를 준비한다.

또는, 다른 부서에서 빌려올 수 있도록 미리 확인하고 약속해 둔다.

- 마네킹이 제대로 작동하지 않는 경우
  - 여분의 마네킹을 1-2개 더 준비한다. 실제로 교육 과정 중에 마네킹을 수리하는 것은 너무 오랜 시간을 소모하기 때문에 바람직하지 못하다.

② 교육생의 곤란한 질문

- 자신이 모르는 내용에 대한 질문을 받았을 때
  - 잘 모르는 내용임을 인정하고, 정확한 답을 알아본 다음 휴식 시간 이후에 알려주거나 며칠 뒤라도 이메일이나 전화로 알려 주겠다고 말한다. 정확하지 못한 답변을 하는 것은 나중에 큰 잘못으로 번질 수 있으므로 절대 금해야 한다.
- 현재 진행 중인 교육 내용과 무관한 질문을 받았을 때
  - 교육생이 한 질문 내용을 칠판이나 메모지에 기록하고, 현재 진행 중인 교육 단계가 끝난 다음에 답변을 해 준다.
- 사적인 질문처럼 교육과 무관한 질문이나 비논리적인 질문을 받았을 때
  - 심폐소생술과 전혀 관련이 없는 내용 또는 지나치게 개인적인 질문임을 명확히 하면서 이런 종류의 질문에는 답변하지 않겠다고 선언하거나 나중에 개인적으로 답변해 드리겠다고 말한다. 또한, 교육과 관련된 질문만 해줄 것을 당부한다.

③ 교육생 관리와 관련한 문제

- 교육 과정이 시작되고 난 후 뒤늦게 도착한 교육생이 교육 참여를 요구할 때
  - 교육이 이미 시작되었고 이 교육은 처음부터 참여해야 교육 내용을 따라갈 수 있음을 설명한다. 다음 번 교육 과정에 최우선으로 참여시킬 것을 약속하고 귀가시킨다.
- 교육 분위기를 해치는 교육생(예, 큰 소리로 잡담)이 있어 주의를 주어도 계속할 때

- 그 교육생에게 질문을 던지거나 시선을 맞춤으로써 주의를 환기시킨다. 그래도 계속되면 따로 불러내어 현재의 상황을 설명하고 중단해 줄 것을 요청한다.

• 몸이 불편한 교육생(손목이나 다리를 다쳤거나, 허리가 아픈 경우)이 있는 경우
  - 실습의 중요 단계를 참여할 수 있는지를 확인하고, 의지가 분명하면 실습을 할 수 있도록 배려한다. 바닥에 꿇어앉기 어려운 경우에는 책상 위에 마네킹을 올려놓고 실습하도록 배치한다. 실습 자체가 불가능한 경우에는 치료 후 참여를 권한다.

• 감염성 질환이 있는 교육생이 있는 경우
  - 치료 후 감염 위험성이 없어지고 난 다음에 참여하도록 권한다. 각종 열병, 호흡기 질환, 입 주변 물집, 피부 질환 등이 이에 해당된다.

• 미리 조를 편성하였는데 다른 조로 편성해 달라고 요구하는 교육생이 있을 때
  - 그 이유를 들어보고 타당하면 조정해 준다.

8 과정 종료

교육 과정의 모든 단계들을 완료하고 교육을 종료하는 과정을 말한다.

1) 질문 시간

교육 내용과 직접적인 관련이 없더라도 교육 과정에 관한 의견이나 기타 질문 사항이 있는지 교육생들에게 물어보고 그에 대한 시간과 분위기를 배려한다. 혹시 계속되는 질문들로 인해 시간이 너무 많이 필요한 경우에는 이메일이나 홈페이지 Q&A와 같이 질문이나 건의를 하는 다른 방법을 안내한다.

2) 과정 요약 및 종료

① 교육 내용들 중 핵심 내용 2-3가지를 선정하여 “take home messages”로 다시 한번 강조한다.

② 고품질 심폐소생술의 중요성과 배운 술기를 실제 상황에서 활용할 것을 강조한다.

③ 참여한 모든 강사와 교육생들이 모여 기념사진을 찍을 수 있다.

④ 안전하게 귀가하도록 인사말을 하고 과정 종료를 선언한다.

cardiopulmonary resuscitation

Chapter 07

일반인 심폐소생술 교육 과정 종료 후 단계

교육 목표

1. 교육 과정 후 교육 장비와 작성된 서류들을 올바른 방법으로 정리 보관한다.
2. 재교육 및 재교육자에 대한 관리법을 정확하게 알고 실천한다.
3. 교육 과정 이후 절차에 대한 교육생의 질의에 적절하게 응답한다.
4. 과정 평가의 결과를 공유하고 해결하여 다음 과정에 인계한다.

1 교육 과정 후 정리

1) 교육장비 및 기자재 정리

사용한 교육장비와 기자재들을 다음에 다시 사용하기 편리한 상태로 정리하여 보관한다. 작동이 안 되는 기능이나 교체가 필요한 소모품들은 점검하고 보충하여야 한다. 다음의 교육장비 및 기자재 점검표를 활용하면 편리하다(표 8).

- 마네킹은 반드시 세제와 알코올로 닦은 후 보관함에 담아서 정해진 수납 공간에 보관한다.

- 보관하기 전에 마네킹의 작동 여부를 확인하고 사용 전에 재확인을 한다.
- 교육용 자동심장충격기의 패드는 계속 사용이 가능할지 확인하고, 불결하거나 접착 불량인 것은 새 것으로 교체해서 보관하고 사용 전에 재확인한다.
- 리모컨으로 조정하는 교육용 자동심장충격기라면, 맞는 리모컨과 짝을 맞추어 보관한다.
- 교육용 자동심장충격기의 건전지는 오랫동안 사용하지 않을 경우 빼서 따로 보관한다.
- 사용한 인공호흡용 보호비닐과 일회용 장갑 등은 분리수거하여 폐기한다.
- 매트리스는 반드시 수량을 확인하고 한 곳에 보관한다.

2) 문서

- 교육생이 작성한 설문지를 모아 그 내용을 정리하고 강사들과 그 결과를 공유한다.
- 술기 평가시험 채점표, 설문지, 그리고 출석 서명지 등의 서류들은 각 교육 기관별로 3년간 보관해야 한다.
- 보관 중인 서류가 외부인에게 유출되지 않게 보안에 신경을 써야 한다.

3) 교육장

- 교육장의 매트, 책상 및 의자 등의 배치 상태를 교육 과정 전으로 복구하여 정리한다.
- 사용한 음향 및 영상 장비의 작동 상태를 확인하고 잘 정리한다.
- 교육장의 쓰레기들을 깨끗하게 청소한다.
- 교육장에 부착했던 안내문이나 조 편성표 등의 부착물을 모두 떼서 폐기한다.

표 8. **교육장비 및 기자재 점검표**

장비	확인사항
마네킹	□ 가슴이 잘 올라오는가? □ 가슴압박은 잘 되는가? □ 청결상태 확인 □ 마네킹 대수는 맞는가? □ 정해진 수납공간에 보관하였는가?
교육용 자동심장충격기	□ 음성이 제대로 나오는가?(모드가 바뀌지 않도록 주의) □ 건전지 잔량이 충분한가? □ 보관을 위해 건전지를 빼두었는가? □ 패드는 다음 교육 때 사용할 수 있는가?(불가능하면 교체 보관)
보호비닐 및 일회용장갑	□ 사용한 것은 수거하여 폐기하였는가? □ 사용 안 한 것은 다음 교육을 위해 보관하였는가?
빔프로젝트	□ 작동은 정상적인가? □ 램프수명을 확인하였는가? □ 확실하게 전원을 껐는가? □ (이동형인 경우)정해진 수납공간에 보관하였는가?
스크린	□ (이동형인 경우)정해진 수납공간에 보관하였는가?
스피커	□ 작동이 정상적인가? □ (이동형인 경우)정해진 수납공간에 보관하였는가?
매트	□ 개수를 확인하였는가? □ 청결 상태 확인
이름표	□ 수거한 후 개수를 확인하였는가?
교육장	**확인 사항**
	□ 책상 및 의자를 교육 전 상태로 정리 □ 벽에 부착된 안내문 등은 제거하였는가? □ 청결 상태 확인
문서	**확인사항**
교육수료증	□ 발급을 원하는 사람의 명단을 확인했는가? □ 발송 방법(E-Card로 발급)에 대하여 설명했는가? □ 발급비에 대해 안내하였는가?
보관서류	□ 서명지 □ 설문지 □ 술기 평가지 □ 교육생 명단

2 교육 수료증(E-카드) 발급

교육 과정을 성실히 완료하고 술기 평가시험에 합격한 교육생들에게는 교육 수료증(E-카드)을 발급할 수 있다(그림 47). 교육 수료증은 교육생의 자긍심과 자신감을 높여서 적극적으로 심폐소생술을 시행할 의지를 북돋우며 재교육 시기를 알려주는 등의 효과를 가진다. 교육 수료증을 발급 받기 위해서는 소정의 발급비가 필요하며, 비용 부담은 전적으로 교육생의 몫이다. 교육 수료증을 발급 받지 않았다고 해서 심폐소생술 수행 능력이 인정되지 않았다는 의미는 아니므로 반드시 발급을 받을 필요는 없다.

교육 수료증과 관련한 사항은 다음과 같다:

- 교육 수료증은 술기 평가시험에 합격한 교육생들에게만 발급한다.
- 교육 수료증은 교육 종료 후 며칠이 경과한 다음에 교육생 및 교육기관이 대한심폐소생협회 홈페이지에서 온라인으로 신청하여 E-카드를 발급 받을 수 있다.
- 나중에라도 발급을 원하는 교육생은 유효기간 2년 이내에 대한심폐소생협회 홈페이지에서 온라인 발급 신청을 할 수 있다.
- 교육 수료증을 발급 받기 위해서는 소정의 금액을 부담해야 한다.
- 교육 수료증의 유효기간은 교육일자로부터 2년간이다.

그림 47. **심폐소생술 교육 수료증의 예**

3 갱신(Renewal) 교육 과정 및 갱신 교육생 관리

교육 과정 수료 후 2년이 지나면 교육의 유효기간이 종료된다. 강사는 만기일이 도래하기 1-3개월 전에 해당 교육생에게 정확한 만기일을 고지하고, 만기일 전에 갱신 교육을 받도록 안내한다. 이때 일반인 심폐소생술 교육 과정을 갱신 교육 기간 동안에 개최할 예정인 교육 기관의 목록을 뽑아서 같이 알려주면 더욱 편리하다. 갱신 교육은 만기일을 기점으로 1개월 이내에 받으면 교육 수료증 유효기간이 다시 2년 연장된다.

cardiopulmonary resuscitation

Chapter 08

일반인 심폐소생술 강사의 자격 유지

교육 목표

1. 강사에게 요구되는 사회적 및 윤리적 의무에 대해 이해한다.
2. 교육 전, 중, 그리고 후에 강사로서 관리해야 할 사항을 이해한다.
3. 강사의 자격 관리 규정을 지키는 방법을 안다.

1 강사로서 지켜야 할 사회적 및 윤리적 의무

1) 사회적인 의무

대한심폐소생협회는 '우리나라에서 심폐소생술의 표준화된 지침을 제정하고 그 술기를 교육과 훈련을 통하여 널리 보급시켜 급사 환자의 소생률을 높임으로써 국민 건강에 이바지함'을 목적으로 하는 비영리 사단법인이다. 따라서 대한심폐소생협회 소속의 강사는 심폐소생술 교육을 통하여 심장정지 환자의 소생률을 높인다는 사회적 의무를 다음과 같은 방법으로 충실하게 이행하여야 한다.

① 대한심폐소생협회에서 인증하는 일반인 심폐소생술 교육을 시행한다.
② 대한심폐소생협회가 주관하는 일반인 심폐소생술 교육 및 홍보 활동에 참여한다.

2) 윤리적인 의무

일반인들에게 심폐소생술을 가르치는 강사이자 교육자로서 윤리적 의무를 엄격하게 준수해야 한다.

① 강사 자신에 대한 윤리적인 의무

- 강의하는 내용에 관련한 지식과 술기를 전문가적 수준까지 보유하도록 노력한다.
- 최신 지식과 기술 습득을 위한 세미나, 워크숍 등의 전문가 교육에 적극 참여한다.
- 자신에 대한 교육생들의 피드백을 참고하여 자신에 대한 객관적 평가에 관심을 둔다.

② 교육자로서의 윤리적인 의무

- 교육과정을 충실하게 진행하고 술기평가를 공정하게 실시한다.
- 강사의 지위를 이용하여 특정 교육장비나 상품을 추천하지 않는다.
- 공정하게 교육을 진행하며, 편향되지 않고 엄정하게 교육생을 평가한다.
- 교육생들을 인격적으로 대하며, 불확실하거나 거짓된 내용을 가르치지 않는다.
- 비속어를 사용하거나 기타 천박하거나 비열한 언행 및 품행을 하지 않는다.

무엇보다 훌륭한 강사가 되겠다는 비전을 갖고 끊임없이 자기 개발을 해 가는 의지가 중요하다. 관련된 전문 서적 또는 자료들을 지속적으로 참고하며 최신 지견에 뒤떨어지지 않게 노력해야 한다. 대한심폐소생협회의 홈페이지(http://www.kacpr.org)를 자주 이용함으로써 최신 정보를 얻을 수도 있다. 전문가 교육 과정들에 참석하면 최신 지식도 습득하고 동료 강사들과 교류도 하면서 서로 배울 수 있어 많은 도움이 될 것이다.

2 자격 관리

1) 강사 자격 관리

① 강사 자격의 유효기간은 2년으로 강사증(E-카드)에 기재되어 있다(그림 48).

② 강사 자격 연장을 위해서는 유효기간 2년 안에 4회 이상의 교육 과정에 강사로 참여해야 한다. 단, 대한심폐소생협회가 인증하는 심폐소생술 교육 과정이어야 한다.

③ 유효기간은 강사의 사정에 따라 해당 기간만큼 연장될 수도 있다. 유효기간 연장을 위해서는 확인 가능한 공식적인 서류가 제출되어야 한다(예, 군복무 기간, 임신과 출산 휴가기간, 장기 입원, 해외 연수기간 등).

④ 천재지변이나 감염병 위기 등의 국가 재난 시 부득이한 교육 개설 중단 권고, 강사 교육기한 연장 등에 대한 변경 적용 범위와 원칙은 대한심폐소생협회 실무이사회를 거쳐 결정하여 공표한다.

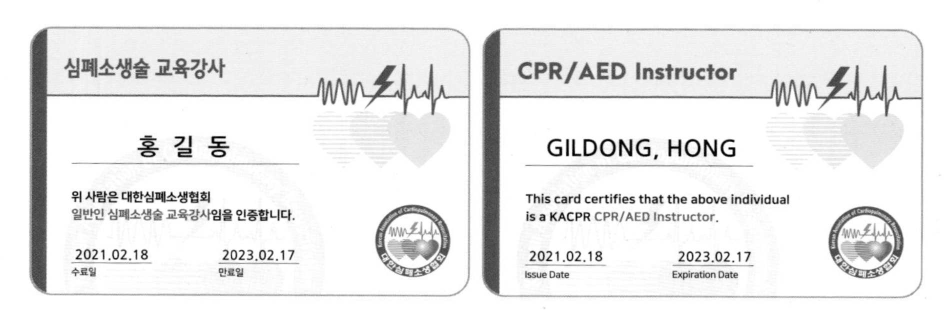

그림 48. **일반인 심폐소생술 강사증의 예**

2) 강사에 대한 주의 및 정지(취소) 조치

① 강사가 대한심폐소생협회의 규정을 위반하는 경우에는 주의 조치를 받을 수 있다.

② 사안이 심각하거나 주의(정지) 조치를 3회 이상 받은 경우에는 강사 자격이 정지(취소)될 수 있다.

③ 강사 자격의 주의 및 정치(취소) 조치는 대한심폐소생협회의 BLS 위원회에서 결정한다.

대한심폐소생협회 일반인 심폐소생술 강사 교육 경력

강사 유효 기간: 20　년　월 – 20　년　월

번호	날 짜	교육기관	교육 과정	강사
1				□ 대표강사 □ 참여강사
2				□ 대표강사 □ 참여강사
3				□ 대표강사 □ 참여강사
4				□ 대표강사 □ 참여강사
5				□ 대표강사 □ 참여강사
6				□ 대표강사 □ 참여강사
7				□ 대표강사 □ 참여강사
8				□ 대표강사 □ 참여강사
9				□ 대표강사 □ 참여강사
10				□ 대표강사 □ 참여강사

대한심폐소생협회 일반인 심폐소생술 강사 교육 경력

강사 유효 기간: 20　년　월 – 20　년　월

번호	날 짜	교육기관	교육 과정	강사
1				□ 대표강사 □ 참여강사
2				□ 대표강사 □ 참여강사
3				□ 대표강사 □ 참여강사
4				□ 대표강사 □ 참여강사
5				□ 대표강사 □ 참여강사
6				□ 대표강사 □ 참여강사
7				□ 대표강사 □ 참여강사
8				□ 대표강사 □ 참여강사
9				□ 대표강사 □ 참여강사
10				□ 대표강사 □ 참여강사

대한심폐소생협회 일반인 심폐소생술 강사 교육 경력

강사 유효 기간: 20 년 월 – 20 년 월

번호	날 짜	교육기관	교육 과정	강사
1				□ 대표강사 □ 참여강사
2				□ 대표강사 □ 참여강사
3				□ 대표강사 □ 참여강사
4				□ 대표강사 □ 참여강사
5				□ 대표강사 □ 참여강사
6				□ 대표강사 □ 참여강사
7				□ 대표강사 □ 참여강사
8				□ 대표강사 □ 참여강사
9				□ 대표강사 □ 참여강사
10				□ 대표강사 □ 참여강사